JN067736

Ursula K. Le Guin

Steering the Craft

A 21st Century Guide to
Sailing the Sea of Story

文体の舵をとれ

ル＝グウィンの小説教室

アーシュラ・K・ル＝グウィン
大久保ゆう 訳

文体の舵をとれ　目次

凡例

- 訳注は〔 〕で示し、原注にはその旨を付した。言及された書籍・作品で邦訳があるものも〔 〕で紹介している。未訳のものには原題を併記した。
- 実例として引用されている作品は、本文との整合性と転載された分量に鑑みて、すでに邦訳があるものも含めて、あらためて新規に訳出した。
- 巻末の用語集に出てくる単語は、「はじめに」の付記にある通り、原著通りの位置にアスタリスク＊を付してある。日本語版で追加した項目については、星印★を付した。

はじめに

本書について

この本は、お話を語る人たち、つまり物語作家のための手引きだ。

前もって言っておきたいが、本書は初心者向けの書籍ではない。本来の対象は、もう自作の執筆に励んでいる人たちである。

十五年、いやもっと前か、わたしの体験型講座（ワークショップ）に集まってくれた生徒諸君は、みんなひたむきで才能もある書き手だったが、セミコロンなどの句読点を敬遠して使えず、語り手の視点（ＰＯＶ）（ポイント・オヴ・ヴュー）と情景描写を混同しがちだった。そもそも一同が大海へ船で漕ぎ出す前に必要だったのは、コツを知ること、自分の技巧を磨くこと、それなりの航海技術を身につけることだったのだ。そこで一九九六年、わたしは「文体の舵をとること（ステアリング・ザ・クラフト）」というワークショップを立ち上げて、文体の胸躍る側面、つまり本当に魅力的なもの――句読点、文の長さ、文法などに焦点を当てることにした

のである。［〈クラフト〉には、船と執筆技巧の両方の意味がかけてある］
その五日間の講座には、いかなるセミコロンにも立ち向かい、あらゆる動詞時制も調伏してやろうという、十四名の恐れを知らぬ書き手たちが集まった。一同のインプットとフィードバックは、それこそわたしにも貴重なものだった。自分の覚え書きと生徒たちの応答をもとに、わたしはこのワークショップを一冊の本に仕立てた。個人で執筆に励む人のみならず小さなグループに向けて、論点と練習問題を収めた自学自習セットだ。タイトルの比喩を踏まえて、ここでは書き手（たち）のことを〈孤高の航海者〉および（叛乱して）〈立ち上がる乗組員たち〉と呼称しよう。
この『文体の舵をとれ（ステアリング・ザ・クラフト）』の初版が刊行されたのは一九九八年のことだ。この本の反響はたいへん大きく、売り上げもおよそ十年のあいだ堅実だった。ただ十年もすれば、執筆も出版も急激に様変わりしてゆくもので、個人的にも本書の改訂を考え出した。そうしてこの本を船首から船尾に至るまで、徹底的に書き直した始末だ。
今回も対象となる読者は、語りの文体の基礎練習として考え方や論点や練習問題を求める、物語の書き手たちである。ここでは物語る文のひびき（句読点・構文・一文・動詞・形容詞）、声と視点、直接・間接の描写表現、含めるものと省くものなどを取り扱う。各章には、論点の〈解説〉と名文家たちの〈実例〉、さらに〈練習問題〉が収められている。この練習問題は、読者の陥りやすい穴の避け方を示すとともに、自在な練習の取り組み方を見せ、ひいては執筆の楽しみ、つまり言葉の一大遊戯を実際に満喫する感覚を伝えるものだ。

二十一世紀の書き手諸君に向けて、どの内容にも再検討を加え、明確性・正確性・有益性を高めてある。本書を実際に用いてくれた人たちが、有効だった点や役に立たなかった点、わかりやすかった説明ややこしかった指示などを報告してくれたおかげで、今回の練習問題にもその大量のフィードバックが生かされている。合評会もそれこそ今やおおぜいの書き手にとって大事なものになっているから、そのわたしなりの解説や運営案を追記した上で、オンラインの集まりに関する言及も加えた。

今の学校では、かつては一般的だった基礎知識である文法用語、すなわち言語と執筆の専門用語をあまり教えないことも少なくない。主語・述語・目的語・形容詞・副詞・過去時制・過去完了といった言葉は、うろ覚えだったりまったく馴染みがなかったりする人も多いだろう。書き手の用いる道具の名称だというのに。文中の正誤を見極めたくなった際に必要となる語だというのに。用語知らずの書き手とは、トンカチとねじ回しの区別もつかない大工のようなもの（「なあパット、あの何だ、先の尖ったやつを使やぁ、あれならこいつをこの木切れに入れらぁな?」）。この改訂版では、文法の詰め込み講座はさすがに入れられなかったが、本書を読んでくれる書き手諸君には、語学の提供する素晴らしい道具類の価値をしっかり認識し、自分の身になじませてほしいと思う。そうすれば自在に操れることだろう。

この二十年で、執筆そのものの理解がいろんな意味で変わりだしており、それでいて出版界隈の突入している変化の波にも、戸惑うもののやはり抗いがたい。（紙であれ電子であれ）今日この時代の出版という荒波を航海する危険性（リスク）と可能性（チャンス）も、しっかりと本書に反映させたいし、物語という芸術の北極星――文体の働きとお話（ストーリー）の動く流れ――も見失いたくはなかった。

颶風（ハリケーン）へ漕ぎ出すための海図はない。とはいえ何とか航海できるようにした上で、転覆も船体両断も氷山激突も回避可能にする基本のコツならば、それなりにあるのだ。

孤高の航海者と立ち上がる乗組員たち

共同ワークショップや創作サークルは、取り組みとしてもいい発想だ。ミュージシャン・画家・ダンサーが普段から結成しているような、同じ芸術に励む人たちの共同体へ、書き手も巻き込むわけである。創作仲間でいい合評ができると、お互いの励ましになる上、仲良く競い合うことも、刺激的な討論も、批評の実践も、難しいところを教え合うこともできる。だからグループに参加したくて、できる環境にあるのなら、ぜひそうするといい。一方で、ほかの書き手とともに励むという刺激を熱望しながらも、地元のサークルでは見つからない参加できないというのであれば、インターネット上でグループの結成・参加をするなど、いろんな可能性を探ってみてもいいだろう。電子メールを介して本書を一緒に用いながら、ヴァーチャルの〈立ち上がる乗組員たち〉を作ってみるのもいい。

うまくいかなくても、期待外れに思ったり意気消沈したりしないように。いろいろある有名作家の執筆講座にも出られるし、たくさんある創作サークルにも入れるけれども、書き手としての自分自身の声を見つけるいちばんの近道は、ひとり静かに打ち込むことなのだ。

畢竟（ひっきょう）、書くときはひとりきり。結局は自分、自分ひとりにしか自作の決断はできない。作品はこれで完成だという踏ん切り――これこそ自分のやりたかったことでこれで決まりだという気持ち――は、書き手自身から出てくるほかない。そしてその決心が正しくできるのも、自作の読み方がわかっている書き手にほかならない。グループで行う合評は、自作批評の訓練として優れている。とはいえごく最近まで、そうした訓練経験のある書き手はそうそういなかったのだが、ようやく必要性が認識された。実践から学んだわけだ。

本書のねらい

この本はそもそも自習帳である。練習問題は意識を高めるためのもの。文体作りの基礎要素のほか、物語るコツと様式について、自らの認識を鮮明かつ強固にするのが、そのねらいだ。こうした文体技巧の要素について自覚がはっきり深まったあとでなら、その訓練と活用も可能になるし、続けていけば――それこそがあらゆる訓練の勘所なのだが――そのことをあえて意識しなくてもよくなる。技術として身につくからだ。

技術が身につくとは、やり方がわかるということだ。執筆技術があってこそ、書きたいことが自由自在に書ける。また、書きたいことが自分に見えてくる。技巧（クラフト）が芸術（アート）を可能にするのだ。

芸術には運もある。それから資質もある。自分の手では得られないものだ。ただし技術なら学べるし、身につけられる。学べば自分の資質に合う技術が身につけられる。

ここでわたしは、自己表現としての執筆や、癒やし（セラピー）や自分探し（スピリチュアル・アドヴェンチャー）としての執筆を論じようとしているのではない。そういうこともありえるとは思うが、まずもって（そして最終的にも）執筆とは、技芸（アート）であり技巧（クラフト）であり、物作りなのだ。だからこそ、その行為自体が楽しみとなる。

物作りがうまくできたなら、自分が自然とにじみ出て、健やかになり、おのれの魂も見つかるものだ。上手な物作りを目指して一生を費やす羽目になるかもしれない。その価値はある。

物語ること

本書の練習問題はどれも、語り（ナラティヴ）の基本要素に関わるものだ。たとえば物語の聞かせ方、物語を流し動かすもの、物語を詰まらせるもの——こうしたものを、そもそもの言語要素のレベルから取り扱っている。

論点の一覧は、以下の通りだ。

- 言葉のひびき
- 句読点、構文、語りの文と段落

・リズムと繰り返し表現
・形容詞と副詞
・動詞の時制と人称
・声（ヴォイス）と視点（ＰＯＶ）
・直接言わずに語ること、どれだけの情報を伝えるか
・詰め込み、跳躍、焦点、制御

少なくとも練習問題の範囲では、フィクションを書こうがノンフィクションを綴ろうが構わない――語りは語りだからだ。学校・大学での執筆教室や講座が扱うのは、説明的な文章、つまりは情報の示し方や伝え方がほとんどである。そこで話されるのは、〈考えていることの表現方法〉であって、物語ることそのものではない。説明本位の文章のコツや価値観には、物語る文章だと的外れになるものがあるし、かえって問題になることもある。手の込んだ無責任なお役所言葉や、科学技術に偏重した人工的で人間味のない言葉を訓練しても、物語る舌がもつれてしまいかねない。一方で回顧録やフィクション特有の問題というのもあるので、気づいた点には触れようと思う。とはいえ、どんな物語を聞かせるにしても、同じ道具箱を用いれば、おおむね同じよ

うにうまくいくものである。

語りこそが今回の要点なので、各練習問題では動きのない情景を書かずに、動作や行為の描写、すなわち今起こっていることの描写になるようつとめてほしい。バン、バシッ、という効果音の聞こえるような〈アクション〉にする必要はない。スーパーマーケットの通路を進む道行きでも、頭のなかをめぐる思考でもいいという話だ。扱うべきなのは動きの流れであり――出発点とは異なる場所で終わる話なのだ。それこそが語りのなすことである。進む。流れる。物語とは変化だ。

練習問題の活用案

問題着手のちょっと前に、各練習問題の活用の手引きについても意識を向けてほしい。見た目ほど簡単なものではないこともある。手引きに沿えば、練習問題も役立つことだろう。

本書をひとりで使うのなら、きちんと前から読み進めて、練習問題も順番通りに取り組んでいくのがおすすめだ。そして練習問題に取り組んで、多かれ少なかれ満足な出来になったのなら、いったん横に置いて、しばらくのあいだ、もう見ないようにすること。書き上げたばかりの自作に対する自分の判断なんて信用できないというのが、作家における数少ない常識のひとつだ。実際に少なくとも一日二日は空けてみないと、その欠点と長所が見えてこない。

それから自作を再読するときには、好意的で前向きながらも批判的な目を向けつつ、書き直しも念頭に置いておくことだ。練習問題について特別な注意点が記されている場合は、その点を意識するといい。そして作品を声に出して読み上げること。口に出して耳で聞けば、リズムとしてぎこちないところや粗がわかってくるし、会話を自然で生き生きとしたものにする手助けにもなる。ふつうは、冗長なもの、ぶざまなもの、あやふやなもの、不必要なもの、くどくどしいもの、ぞんざいなもの――つまり、歩調を乱すところや効果の不十分なところを探すといい。それから、機能しているところを見つけ出して、評価した上で、もっと引き上げられるかどうかを確かめるのだ。

複数人で〈立ち上がった乗組員〉を組むなら、付録に略述した手順に従って、合評会をやってみることをおすすめする。本書のグループワークに関する提案はいずれも、この手順に基づいている。自らの講座でも毎回同じようにしてきたし、自分の参加した創作グループでも同様だ。しっかり機能する。

練習問題は、うまく仕上げる必要はない。練習に不朽の名作を求めはしない。むしろ書き直すことでたくさんのことが学べる。たとえ練習でも、目指すところは大きくありたいというのなら、それはそれで結構だ。しかし練習を成功させるためにやるべきことはまずもって、指示通りにすることである。たいてい分量はたいへん短い——一段落や一ページ程度だ。複数人で取り組んで自作を読み上げる場合には、簡潔性も必須となる。さらに、所定の短い文量を書くことは、それだけですぐれた特訓になる。もちろん、その課題にだんだん興味がわいてきたなら、あとで自作として長めに仕上げてもいい。

わたしの講座に参加した人たちによれば、各練習問題で扱う題材がはっきりしていたり、筋書き(プロット)★や舞台設定が決まっていたりすると、便利だとのことだった。本書でもそうした提案をしてあるが、別に使わなくても構わない。練習問題を書くにあたってわざわざ世界観構築までしたくない人向けのものだ。

複数人で取り組む場合、グループの例会中に練習問題をいくつか書いてもいいだろう。練習問題のことを話し合ったあとで、各人着手する。黙々と、書いて書いて、書きまくる。三十分が守るべき時間制限だ。それから各人代わる代わる自作を、できたてほやほやの原稿を読み上げる。こうした重圧のおかげで、驚くべき傑作が出来(しゅったい)することも少なくない。講座中の執筆もまた、重圧にさらされながらの制作に慣れておらずそんなの無理だと思い込んでいる人たちには、ものすごく有益なことだ（実際できるものだ）。孤高の航海者も、半時間の時間制限を設定すれば、同じ効果がしっかり得られる。

テーマ別に毎回、考慮ないし議論すべき要点を紹介してある。孤高の航海者の場合はゆっくりと時間をかけて考えをめぐらせればいいし、複数人やサークルなら話し合いの助けにもなるだろう。

大半の章には、小説の名手たちから採ったさまざまな技の具体例を手短に収めてある。みんなで、またはひとりで、こうしたものを読み上げてみてほしい（ひとりで声を出して読むのをためらわないように！　一瞬バカバカしく思えたりもするだろうが、音読して学んだものは、一生ものにもなりえる）。実例で、練習問題への取り組み方を左右しようというのではない。ただ論点となる技術上の問題への対処にもさまざまあることを示したいだけなのだ。

あとから、実例のひとつふたつを模倣してみたくなったのなら、ぜひやってほしい。音楽や絵画を学ぶ人たちは、名曲や名画を訓練の一環としてあえて模倣することがある。ところが独創性を妄信するあまり、創作の講師連中は模倣を軽蔑すべきもののように扱ってしまう。しかも今では、インターネット上にあふれる軽率な混用に惑わされて、盗作・剽窃（まさに恥ずべきもの）と模倣・模作（有益なもの）の区別もつかない書き手もおおぜいいる。大事なのは意図だ。出所を偽装して自分のものとして通そうというのなら、それは盗作・剽窃である。しかしある職業作家〈風〉に書いてみた一段落に自分の名前を冠するのは、ただの文体練習だ。パロディでもなくパスティーシュでもなく、まじめに書くのであれば、文体練習は努力のしがいがあって参考になる。この点は、第八章中の「再度の解説：模倣について」（一六四ページ）でもう少し詳しく話そう。

本書に引いた実例のほとんどは、古めの小説から採ってある。当代の作品だと転載許可を得るにも高額だったり無理だったりすることが多いためでもあるし、わたし自身がこうした古い本が大好きで馴染みもあるからだ。不適格な講師のせいで、いわゆる〈古典〉を敬遠してしまう人はおおぜいいるが、作家とは自分と同時代の作品だけから学ぶものなのだと、思い込まされているわけだ。良作をものにしたい書き手は、名作を読む必要がある。もし広く読書をしておらず、当代流行の作家ばかり読んでいるのなら、自らの言語でなしえることの全体像にも限界が出てくる。

抜粋した実例もさらなる読書案内も、グループ討論や独習向けのいいテーマになる。この作家の試みていることは何か、取り組み方はどうか、そうしたことを行っている理由とはなぜか、自分の好みかどうか。新たに別の具体例を見つけて、グループへと持ち込み、議論の俎上に載せることは、乗組員全員にとって益のあることだろう。また孤高の航海者なら、同じ海を船で進んで岩礁や浅瀬を自力で切り抜けた書き手のうちに、導き手や道連れ、親友を見つけられるかもしれない。

付記：本書ではなるべく専門用語は使わないようにしたが、いかなる物作りにも符丁はつきものだから、専門語や難語のささやかな用語集を巻末付録にしてある。該当箇所には、アスタリスク（＊）を添えた。

第1章
自分の文のひびき

The Sound of Your Writing

白波（しらなみ）ざわめく潮海（しおうみ）のさなかの
白銀（しろがね）の魚（さかな）さながらすいすい進む淑女（しゅくじょ）さ。

She slipped swift as a silvery fish
through the slapping gurgle of sea-waves.

言葉のひびきこそ、そのすべての出発点だ。文章の吟味とはすなわち、「文のひびきは正しいか？」である。言語の基本要素は物理現象――つまり言葉の生み出す音、リズムによって特徴づけられる有音と無音の関係性なのだ。文体の意も美も、そのひびきとリズム次第。このことは、詩の場合と同じくらい散文★にも当てはまるが、とはいえその文章のひびきは、たいていその効果がとらえがたく、たえず結果にぶれがある。

子どもというものはおおむね、言葉のひびきをそのひびきゆえに楽しむ。繰り返しながら、うっとりする言葉のひびきにどっぷりつかり、オノマトペ＊をばりばりずるずると咀嚼する。そして語呂のいいものやインパクトのある言葉に惚れ込んだ子どもたちは、間違っていようと所構わずそれを用いるのだ。言葉のひびきについて、同じように一等の関心を抱いて愛を傾ける書き手もいることはいる。それでいて、自分の読み書きするものに対する目と耳の感受性から、長じて〈卒業〉してしまう人もある。

まったくもったいない話だ。自分の文体のひびき方を意識できるかどうかは、物書きにとっての必須スキルである。幸いなのは、その育成・学習・再覚醒がたいへん容易である点だ。

いい書き手は、いい読み手と同様、心の耳を有している。散文はもっぱら黙読してしまうわたしたちだが、その文のひびきが自然と聞こえてくるくらい心の耳が鋭敏な読者は、おおぜいいる。単調、ぶつ切り、だらだら、緩急が変、弱々しい――語りに対してよくある酷評だが、どれもそのひびきの瑕疵（かし）となる。生き生き、軽快、すらすら、力強い、美しい――こちらはいずれも、良質な文のひびきというわけで、読みながらうきうきしてくる。物語を綴る者は、自分の書く文章に耳を澄ませてその心の耳を鍛え、書きながらそのひびきが聞こえてくるようにならないといけない。

語りの文章の主な役割は、次の文へとつなぐこと――物語の歩みを止めないことだ。前へ進む流れ、歩調、リズムとは、本書でこれから何度も立ち返る語である。歩調と流れは、何よりもリズムに左右される。そして自分の文体のリズムを実感して制御する第一の手段が、文に対する聴力――文のひびきに耳を澄ませることなのだ。

動作や思考を伝えることだけが、物語のなすべきことなのではない。物語は言葉から生まれる。言葉は音楽さながらにそれ自体で歓喜を表現できる上に、実際そうなるものだ。うきうきするひびきを生み出しうる文は、詩のみならず。ここから掲げる四つの実例で起こっていることを、しっかり意識してほしい。（声に出して読むこと！ 大声で読み上げること！）

実例一

『なぜなぜ話』〔邦訳：藤松玲子訳（岩波書店）など〕は、ほとばしる語彙、語呂のいいリズム、迫真の言い回しを兼ね備えた傑作だ。ラドヤード・キプリングは何世代もの子どもたちに、物語とは意味を超越して美しくひびきうるものなのだということを伝えてきた。そしてノンセンスにも美にも、子どもたち限定にせねばならぬものなど何もない。

ラドヤード・キプリング「どうしてサイはあんな皮なの」（『なぜなぜ話』所収）より

むかしむかし、紅海(こうかい)おきの無人島(むじんとう)に、ひとりのパールシー人(じん)がおりまして、そのかぶり物(もの)には日(ひ)ざしが照(て)りかえし、東洋(とうよう)のふしぎにとどまらない輝(かがや)きがありました。そして紅海(こうかい)ほとりに住(す)まうこのパールシー人(じん)が持(も)つものは、かぶり物(もの)とナイフと、みんなおさわり厳禁(げんきん)のあのストーヴ型(がた)のコンロだけ。ところである日(ひ)、そのひとは、小麦粉と水と干しぶどうとプラムとお砂糖でもって、手作りケーキの生地をこしらえまして、なんとその幅六十センチ、分厚さ一メートルにもなるものでした。まさしく〈ごちそう〉（一種の魔法）で、ご本人はこのコンロのあつかいも手なれたものですから、それをコンロに乗せて焼き焼き、とうとうまるまるキツネ色に焼きあがり、心にぐっとくる香りとなりました。なのに食べようとしたそのとたん、ひとっこひとりいない島の奥から浜辺に出てきたのが一頭のサイで、鼻の先にツノ一本、つぶらな目がふたつ、こいつがおぎょうぎよくない生きものでした。［…］するとサイは鼻先で石油ストーヴをひっくりかえし、ケーキはごろりん砂のなか、そのケーキをサイが鼻のツノで突きさして、食べてしまうやしっぽふりふり引きかえして、だれひとりいない荒れた島の奥へと、マザンダラン諸島とソコトラ島と大分点半島をのぞむところへと、もどるのでした。

実例二

次の一節は、マーク・トウェインの初期作「その名も高きキャラヴェラス郡の跳び蛙」「邦訳：野崎孝訳『ちくま文学の森10　賭けと人生』（筑摩書房）など」から採ったもので、リズミカルでたまらない方言のうちに美しさがある。うきうきする言い回しがたくさん詰まっている。

マーク・トウェイン「その名も高きキャラヴェラス郡の跳び蛙」より

んで、このスマイレェってやつがよ、ネズミ取りのテリヤやらオンドリやらオスネコやら何でもかんでも飼ってやがってよ、しめぇにはこっちがたまらねぇ、賭けの相手にならねぇもんがねぇって、何でも来いってんだからよ。そのやっこさんがある日、蛙(ケエル)をとっ捕まえて、うちに連れ帰(けえ)って、なんでも芸(わざ)を仕込んでやろうって算段よ。そんでよ、三月(みつき)は裏庭に踏ん張って、ひたすらその蛙に跳ねろとたたき込んだもんよ。するってぇと、マジに仕込みやがった。やっこさんが背をちょいとつつきゃあ、とたん目の前でその蛙がドーナツみてぇな宙返(げえ)り——ほれトンボ返(げえ)りをひとつ、出鼻よけりゃ二回転、ぺたんと無事に着地たぁ、さながらネコよ。蝿(ヘエ)取りも万事しつけてあってよ、しじゅう稽古だもんで、目に入りゃ百発必中てなもんよ。スマイレェの言うことにゃあ、蛙に要るのは仕込みひとつで、何だってできる——ってのが信条よ。まあ、この目で見たもんよ、やっこさんがダヌル・ウェブスタァをこの床を下ろしてな——ダヌル・ウェブスタァてな蛙の名前（なめぇ）な――んでひと声、「蝿（ヘエ）、ダヌル、蝿！」、するってえと、目ぱちくりするひまもねぇうちに、ぴょんと一直線、この店台（みせでぇ）の蝿をぱくり、また泥玉みてぇにべっちゃり床に下りてよ、後ろ足でてめぇの横っ面を掻き出して、てめぇはただの蛙のやることをやったまででございと平気な顔よ。あんな気取らずまめまめしい蛙いるもんかね、あの才があるってのによ。でもって真っ平（てぇ）らなとこを正面きって跳ぶとなりゃあ、同じ蛙に並ぶものなしってくれぇに、地面をひとっ跳びしたもんよ。平らな横っ跳びが得意技たぁ、なあ。だからそうとなりゃあ、スマイレェは赤銭一枚でもありゃあ賭けたもんよ。スマイレェはこの蛙がたいそうご自慢で、道理も道理、方々（ほうぼう）旅した連中も口を揃えて、どんな蛙もこいつにゃ敵いっこねぇってな。

実例三

最初の例では東洋のふしぎにとどまらない言葉の輝きが、そして第二の例では伸びる音のたまらない律動が、物語を前へと動かしている。第一も第二も、語彙はわかりやすくなじみ深い。それでいて何よりも、力強く勢いのあるリズムだ。次のハーストンの書く文章〔邦訳：松本昇訳（新宿書房）〕を読むと、その音色とビートに、催眠さながらのものすごい前への推進力に、巻き込まれてしまうだろう。

ゾラ・ニール・ハーストン『彼らの目は神を見ていた』より

だからこそその始まりもまたひとりの女であり、その女は死者の弔いから戻ってきたところだった。その相手は、枕元と足下とを友人らが囲み、病に苦しみ死んだ者ではない。その女は、水浸しでむくんだ人々のもとから戻ったばかり、最後の審判の時にカッと目を見開いて突然死した者を弔って帰ってきたのだ。

人々がみな、その女の来る姿を見ていたのは、日暮れ時だからだった。日は沈んだあとだが、空にはその名残があった。道ばたのポーチに腰を下ろす時間帯だった。世間話の頃合いだった。こうして座る人たちは、日中は舌も耳も目もない便利道具扱いされていた。騾馬（らば）などの家畜と、肌まで同然の作業をしていた。だがもう日も親方も不在となれば、みなの肌に活力と人間臭さがにじむというものだ。話し声も雑事も思うがままだった。その口を通じて諸人の話が交わされた。

一同は裁く側に腰を下ろした。

その女を見ると、一同にまたぞろわき出すのが、かねてから抱いていた嫉妬心だった。そこで心の裏側を噛みしめて、うまそうにつばを飲み込んだ。疑問に思ったことを火傷しそうな言葉に作り替え、笑い声から凶器を生み出す。まさしく集団の残酷性だった。空気がにぎやかになった。言葉が主を離れて歩き回り、その揃い歩くさまは歌のハーモニーのようだった。

実例四

さて次は、中年牧場主のトムが、いずれ自分を死に至らしめるガンの初期の激痛と闘っている一節である。モリー・グロスの文〔未訳〕は静謐(せいひつ)だ。その力と美の源泉は、あらゆる言葉が完璧な並びとタイミングであること、そのひびきが音楽になっていること、そして変化する文のリズムが登場人物の感情をまさしく体現している点だ。

モリー・グロス『馬の心（*The Hearts of Horses*）』より

飼っているニワトリの一群はもう鶏舎に入っていて、牧場の野外は静かだった――ニワトリは日の出の数時間前から、一日の始まりが待ちきれないかのごとく鳴き出すが、それでいて早寝にも関心がある。トムはもう慣れたもので、早朝のニワトリの目覚ましのなかでもいつも眠っていたし、家族全員そうだった。ところがここ数週間は、もはやオンドリが大音声を立てる前、メンドリの最初のひと声が聞こえるだけで、彼はたちまち目が冴えた。その日の始まり、まだ暗い時分に発せられるその音は、アンジェラスの鐘のように穏やかで敬虔なものにさえ思えてくる。一方で、彼は宵を恐れるようになった――影法師が長くなり空からの日差しがじんわりしたものになってくると、まるでニワトリのように、たまらずベッドに入って目を閉じたくなるのだった。

　薪小屋に入った彼は、積み上げられた薪に腰を下ろして、膝に肘をついて身を前後に揺らした。言葉にならない何かで体が破裂しそうな気分で、いっそ泣けば具合が楽になるのかとも思った。座ったまま身を揺すぶり、やがて泣き出した。何の緩和にもならなかったが、そのあといきなり大きな嗚咽になって、それを続けていると、自分のなかに溜まっていたものが、何にせよわずかながら出て行くのだった。呼吸が楽になると、しばらくその場に座ったまま身を前後に揺らしつつ、彼は視線を自分のブーツに向けるが、それは糞尿や干し草のかけらで汚れていた。それからハンカチで目をぬぐうと、彼は家に入って、妻と息子とともに夕べの食卓につくのだった。

読書案内

アリス・ウォーカーの『カラーパープル』〔邦訳：柳沢由実子訳（集英社）〕は、その言葉のひびきがすばらしいことで有名だ。静かで力強いリズムということなら、セアラ・オーン・ジュエット『とんがりモミの木の郷』〔邦訳：河島弘美訳（岩波書店）〕やケント・ハルフの西部小説の名作『単旋聖歌（*Plainsong*）』〔未訳〕を見るといい。

幻想文芸（ファンタジー）は、その言葉遣いが本質的に不可分な語り（ナラティヴ）の一形式である。たとえば『ふしぎの国のアリス』〔邦訳：大久保ゆう訳『アリスはふしぎの国で』（青空文庫）など〕などの古典小説のいくつかは、ファンタジーだ。とはいえ、聴覚上の美と結びつきそうにないと思える作家を読むときには、聞き耳を立てないほうがいい。やはり意味の大半は、言葉のひびきとリズムから生まれるのだと悟ることになるだろう。

〈練習問題①〉文はうきうきと

問1：一段落〜一ページで、声に出して読むための語り（ナラティヴ）の文を書いてみよう。

その際、オノマトペ、頭韻*、繰り返し表現、リズムの効果、造語や自作の名称、方言など、ひびきとして効果があるものは何でも好きに使っていい
——ただし脚韻や韻律*は使用不可。

ぜひ楽しんで書いてほしい——遊ぶのだ。自分の書いた文章のひびきやリズムに耳を澄ませて、おもちゃの笛を持った子どもみたく戯れてみよう。これは〈思いつくままに書くこと(フリーライティング)〉とは異なるが、コントロールをゆるめるという点では似ている。あえて言葉そのもの(言葉のひびき、ビートやエコー)の導くままにさせてみるということだ。しばらくのあいだ、「透明なのがいい文体」とか「目につかないのがいいアート」とか、そういうご忠告はいっさい忘れてしまおう。ひけらかせ! 自分の持つ見事な言葉遣いから生まれる一大楽団をあますところなく使うのだ!

もしできそうなら、子ども向けに書くのもいい。ご先祖さま向けに書いたっていい。自分の好きな語りの声を使おう。方言や訛りになじみがあるなら、味気ない標準語の代わりにそちらを用いてみよう。さわがしくしてもいい、静かにしてもいい。言葉の流れをぎくしゃくさせたりなめらかにしたり、とにかく活動(アクション)を再現してみよう。言葉

のひびきで、文章のリズムで、起こったことをかたちにするのだ。ふざけながら、勝手気ままに、遊び回って、繰り返して、いじくって、遠慮なく自由に。
脚韻も詩の韻律も使わない点は忘れずに。これはあくまで散文で、詩ではない！
何かしらの〈筋書き（プロット）〉を示すのはためらいがあるが、もし言葉を綴る何らかのとっかかりが必要だというなら、幽霊物語のいちばんの山場（クライマックス）を物語ってみるのはどうだろうか。もしくは、島をひとつでっち上げて、そこを歩き回らせてみる――で、何が起こるか？　とかね。

問2：一段落くらいで、動きのある出来事をひとつ、もしくは強烈な感情（喜び・恐れ・悲しみなど）を抱いている人物をひとり描写してみよう。文章のリズムや流れで、自分が書いているもののリアリティを演出して体現させてみること。

実演と鑑賞について：課題の音読をグループ内で行うと、かなり盛り上がることが

ある。このとき、あんまり論評*はしないほうが望ましい。上手な実演作品に対するいちばんの反応は、拍手だ。

もしひとりで励んでいるのなら、自作を声に出して読み上げよう——力いっぱい行うこと。そうすればそのあと、きっと本文のあちこちが改善できるだろうし、もっと遊んで工夫できたり、そのひびきをさらに力強く生き生きとしたものにできたりする。

終わったあとの反省や話し合い：たとえば論点を挙げると——文のひびきに集中したことで、いつもとは違うものやびっくりするもの、普段使わない声(ヴォイス)が出せたり実現できたりしたか？　うきうきと楽しめたか、それともつらかったか？　その理由は言語化できるか？

意識高く〈美文〉を書くことの問題点は、一考と議論に値するものだ。普通は使わない言葉や古風な語を用いたり、言葉をぎょっとするようなかたちで組み合わせたり、音の効果をねらったりして、目を引くような文章や詩のような散文をあえてこれ見よがしに書こうとする小説家やエッセイストの作品には、人はどういう反応をしているか。楽しむのか？　意識高い文体はそもそも文章としてうまくいっているのか？　そのおかげで、言いたいことが強調されているか、それとも相手を引かせてはいないか？

名前のひびきも興味深いもので、登場人物の名前やそのひびき、そのなかに隠れた音からの連想などは、きわめて表現性が高い。ユーライア・ヒープ……ジェイン・エア……ビラヴド……。地名もそうだ。フォークナーのヨクナパトーファ郡、トールキンの畏(おそ)るべきロスローリエンや素朴ながらも深く心に残る中つ国(ミドル＝アース)。創作内の名前に悩み、その意味を感じさせるひびきはどんなものかと考えることは、実に楽しかったりする。

文をうきうきと作るのは、繰り返し取り組める優れた訓練である。それでいて、執筆の準備運動にもなる。言葉のひびきを効能として用いて、気分を整えてみよう。窓の外の景色や机の散らかり具合を見たり、昨日の出来事や誰かが言った変なことを思い出したりした上で、そこからうきうきした文をひとつふたつみっつあたり作ってみるのだ。そうすればだんだんと気分が乗ってくるはずだ。

第2章

句読点と文法

Punctuation and Grammar

こんにゃろセミコロンと叫ぶ
船長は全速前進

Damn the semicolons cried
the captain full speed ahead

詩人キャロリン・カイザーが以前わたしに言ったことだが、「詩人は死と読点（コンマ）にばかり関心がある」。たぶん物語の話し手はおおむね生と読点（コンマ）にばかり関心がある。句読点に関心がなかったり、不安を抱いていたりするなら、作家の仕事に必要となる最も美しく雅（みやび）なツールの一部を取りこぼしていることにもなる。

この論点は前章とも深く結びつく。というのも、句読点は読者に、自分の文章の聞き方を伝えるものだからだ。それこそが存在理由である。読点（コンマ）と句点（ピリオド）は文章の文法上の構造を強調するが、そのおかげで文のひびき具合——どこに区切りが来て、どこが息継ぎになるのかが見えてきて、理解や情感がくっきり際立ってくる。

楽譜を読む際には、休符が無音の印だと誰もがわかる。句読点という印も、同じ目的で大いに役立つものだ。

ピリオドとは休止のこと一瞬だけセミコロンは一時停止でコンマも同じ一時停止

だがたいへん短いか多少の変化があるとされるダーシでは一時停止させた上にフレーズを目立たせられる

こうした言葉の羅列も、ちょっと手間をかければ意味が通じるようになる。意味を成立させるために行う作業が、句読点を打つことなのだ。

句読点には定着したルールもあるにはあるが、おおむね毎度、個人の裁量がかなり大きくなる。今回はこんなふうにやってみよう。

ピリオドとは休止のこと——一瞬だけ。セミコロンは一時停止で﹆コンマも同じ一時停止だが、たいへん短いか、多少の変化があるとされる。ダーシでは一時停止させた上にフレーズを目立たせられる。

［半終止符（セミコロン）は本来「；」、中線（ダーシ）は「——」のこと。日本語文で半終止符に当たるものは定着していないが、かつて文部省から表記法として提唱された、読点と句点の中間の役割を果たすシロテン（﹆）をここではあえて用いる］

別の打ち方もありえるが、間違った打ち方をすると、意味が変わったり、意味をなさなくなったりする。

ピリオドとは休止のこと。一瞬だけ、セミコロンは一時停止で、コンマも同じ。一時停止だがたいへん短いか。多少の変化があるとされるダーシ。では一時停止させた上にフレーズを目立たせられる?

自分の文章に野心的で、他人とは違ったやり方での執筆に励んでいる人の場合、無邪気に句読点を排除してしまうことがある。読点（コンマ）の位置なんて誰も気にしないや、と。むかしむかし、あるぞんざいな作家は浄書係（コピーエディター）を当てにして、読点（コンマ）をあるべきところに置いてもらい、文法上の誤りも直してもらっていました。しかし今日では浄書係なんて絶滅危惧種なのです。コンピュータに入っている句読点・文法*の校正のまねごとをするやつについては、無効化しておくこと。こうしたプログラムは、言語能力がみじめなくらい低レベルだ。自分の文章が切り刻まれて、ふざけきったものにされてしまう。言語能力は自分頼みなのだ。あの人食いセミコロンどもに立ち向かうのは、自分ひとりだけ。

個人的にも、句読点と文法は分かちがたい。なぜなら、文法に則って書く勉強というのは大部分が、句読点の打ち方を学ぶことであって、その逆もまた同じだからだ。

知り合いの作家はみな、疑問点を確認するための文典を少なくとも一冊持っている。出版人だと『シカゴ・マニュアル・オヴ・スタイル（*The Chicago Manual of Style*）』〔未訳〕が頼れる決定版だと推す人も多いが、その厳格かつ専横な戒律は、おおむね説明本位の文章用であるから、必ずしも語りの文に当てはまるとは限らない。大学で用いる文章教本についても同じことが言える。自分が用いているのは、古い手引きだがストランク＆ホワイトの『ジ・エレメンツ・オヴ・スタイル（*The Elements of Style*）』〔邦訳：荒竹三郎訳『英語文章ルールブック』（荒竹出版）〕だ。率直明快で愉快便利な代物である。あらゆる文章入門の例に漏れず、ストランク＆ホワイトもその言い分は手厳しいので、当然のことながら反発心がむくむくとわいてくる。もっと新しく今風の指南書を見つけてもいいだろう。信頼できる優れた便覧としては、近年改訂されたカレン・エリザベス・ゴードン『調律済みの文章——幻想怪奇の句読点ハンドブック（*The Well-Tempered Sentence: A Punctuation Handbook for the Innocent, the Eager, and the Doomed*）』〔未訳〕がある。

古代ギリシア以後、中世暗黒時代でさえも、かつて文法は教育の基礎かつ初歩として学校で教えられた。アメリカでも、中等教育のことが〈文法学校〉と呼び習わされていたくらいだ。ところが前世紀末にかけて、当地の学校の多くでは文法教育をやめたも同然となった。ともかく、自分たちの用いる道具について何の知識もないのに、文が書けるということになっているらしい。処理器具も与えられずに〈自己表現〉する、すなわち果実を剝くナイフすらないまま、自分の魂からオレンジジュースを絞り出すことが期待されている。

道具もなく台所の流し台の修理ができる人が思い当たるだろうか？　弾き方も習っていないのに正しい姿勢でヴァイオリンが奏でられる人材なんて想定できるものなのか？　自分の言いたいことが表現できる文章を書く難しさは、配管工事や弦楽器の演奏と何ら変わらない。技巧が必要なのだ。

正しさと風紀についての持論

多くの人は、二年生の先生がこんなふうに叱る場面を思い浮かべられよう——「ビリー、〈わたしを〉(イッツミー)と言うのは間違いです。〈わたしが〉(イットイズアイ)と言うこと」。また、〈願わくば〉(ホープフリー)なんて言うやつは間違いだ、と指摘してくる文法警察を前にすると、萎縮する人も多かろう。願わくば、これからも抵抗を続ける人がいますように。［前者はある問いに対する返答「わたしだ／も」が It's me か It is I になるかの問題。後者は文頭の Hopefully が I hope の意で使えるかという話題。訳では日本語における似たような例を当てておく］

風紀と文法は結びついている。人間は言葉を使って日々を生きている。ソクラテスいわく、「言葉の誤用は魂に悪徳を誘い込む」。わたし自身、長年この一文を机の上にピンで留めてある。

故意に言葉を誤用するなら、それはウソそのものだ。とはいえ〈単なる〉無知や不注意から来る言葉の誤用も、事実を一面しか伝えない事態や、誤解・虚偽を生んだりする。

その意味では、文法と風紀には関係がある。その意味でなら、書き手は道徳上の義務として、言葉をよく考えてしっかり用いないといけなくなる。

だがソクラテスは正しさの話をしたのではない。正しい語法は〈正義〉ではないし、正しくない語法も風紀を乱す〈間違い〉ではない。正しい言葉遣いは風紀の問題ではなく、社会と政治の問題であって、しばしば社会における地位身分をあらわにするものだ。正しい言葉遣いを決めるのは、その言語をある作法で話したり書いたりする集団である。そして、それを試験紙や合い言葉のように用いて、同じ話し方や書き方をする身内の集団と、そうではない外の集団とを成立させる。さて、そのどちらの集団に権力があるかは明白だ。

正しさ警察の独善は、わたしが嫌悪するものだ。その動機もあやしいものだと思う。

とはいえ、本書ではきわどいところを歩まねばならない。なぜなら実際、とりわけ書き言葉における言葉遣いはひとつの社会問題、すなわち、わたしたちが理解し合う手立てについての社会一般の約束事であるからだ。構文*がかみ合わなかったり、言葉が誤解されていたり、句読点が置き間違えられたりすると、いずれも意味が台無しになる。ルールを知らないせいで、文章はめちゃくちゃになる。書き言葉では、方言や個性ある声などのあえて一貫したものでない限り、正しくない言葉遣いは悲惨なものとなる。言葉遣いの粗が目立つと、物語全体の価値がなくなることさえある。

自分が取り組んでいる媒体（メディア）に無知な書き手のことなど、読者は信用しようもない。音の外れた弦楽器の弾き手に合わせてダンスのできる者など誰がいようか。

文章の規範は、会話の基準とは異なる。そうでなくてはならない。なぜなら、読む際には（出来損ないの文や誤用された言葉でさえもわかりやすくなる）話し手の声も表情も抑揚もなくなるからだ。あるのは言葉だけ。わかりやすいことが必須となる。文章上で物事を他人にもわかりやすくするには、対面での会話以上にたくさんの努力が必要なのだ。

というわけで、インターネット上の執筆にはいくつか落とし穴があり、電子メールやブログ、ブログの返信などでそれが特に顕著となる。電子機器を介したコミュニケーションは機械のおかげで簡単かつ迅速となったが、人を過(あやま)たせる。人々はせかせかと書き、書いたものを読み直しもせず、誤読し誤読され、口論になり相手を侮辱して、悪口の言い合いになる。自分の書いたものが会話さながらにそのまま理解されるものと思い込んでいるのがその原因だ。

真意を明らかにせずとも他人が理解してくれるのは当然、という考え方は子どもじみている。自己表現とコミュニケーションを混同するのはかなり危ういことだ。

読者には言葉しかない。顔文字(エモーティコン)も、言葉だけでは感情と意図が伝わらないときの、物悲しくもささやかな申し訳だ。ネットを使うのは簡単だが、そこで自分の真意を伝える難しさは、まさに印刷物の上と変わりない。それ以上に難しいこともあるだろう。どうやら、紙面よりも画面上の読書のほうが、いっそうせわしなく不注意になる人がおおぜいいるようだから。

会話調に徹したくだけた書き方もできるが、何か複雑きわまる思考や感情を伝えるためには、文章は一般の約束事、すなわち文法と語法の共通ルールに従わないといけない。そうせずに決まりを破る場合は、あえて破ることになる。ルール破りをするには、そもそものルールの理解が必要だ。うっかりミスで革命は起こらない。

本物のルールがわからないと、偽ルールに引っかかってしまうことがある。いんち

き文法知識に基づいた〈名文のための偽ルール〉に、わたしも始終出くわしている。一例を挙げると、

偽ルール："There is"（実は／なんと～がいる／ある）で始まる文は受動時制だ。名文家は受動時制をけっして使わない。

名文家でも、"There is"構文は何度だって使っている。「なんと、手首の裏にはクロゴケグモがいた」「実はまだ希望がある」。名詞を新たに持ち込んで示す際に用いる、いわゆる存在構文だ。ごく基本でたいへん便利なものである。

実はなんと、〈受動時制〉なんてものもない。受動や能動は時制ではなく、動詞の〈態／法〉である。ふたつの態は適切なところで用いれば、的確かつ便利だ。名文家はどちらも用いている。

官僚・政治家・当局などが"There is"構文を使う場合は、発言の責任逃れが目的だ。ここで、共和党大会に対してハリケーンが脅威となりえるか、フロリダ州知事リック・スコットが語った言葉を引いてみる。「実は中止になりそうだという、実はそういう予測はありません」［"There is"を二回重ねると強調構文の重複に感じられる］。罪のない有益な

構文が、悪評を得てしまういわれがわかっていただけよう。

それから、偽ルールをあえて破った一例を掲げたい。

偽ルール：英語における総称の代名詞は、彼（he）だ。
違反例：各々（Each one）が順番に、自分たちの（their）作品を声に出して読む。

文法警察いわく、これは間違い、なぜなら〈各々（each one）〉や〈各人（each person）〉は単数の名詞で、〈自分たちの（their）〉は複数の代名詞だからだ、と。しかしシェイクスピアも、〈全員（every one）〉〈何人（anybody）〉〈ある人（a person）〉などの語に対して〈自分たちの（their）〉を用いていた（ジョージ・バーナド・ショウいわく「それは何人にも自分たちの正気を失わせるに十分だった」）。

すると文法を心得た者たちが、それは十六世紀や十七世紀のあいだも正しくないものだったと、またぞろ言い出す。そこで、たとえば「ある人が中絶を必要とするなら、彼は彼の両親に伝えることが求められてしかるべきだ」と言うように、彼（he）という代名詞には両性が含まれているとも断言する。

〈自分たちの（their）〉という語法をわたしが使うのは、社会的な動機付けがあるからで、〈力関係の是正を図る態度（ポリティカリー・コレクト）〉と言い換えても構わない。言葉を取り締まることで、社会と権力の両面から圧力をかけてわたしたちの性差（ジェンダーレス）のない代名詞を禁止し、男性性こそが勘定に値する唯一の性だという意識を強化しようとする動きがあるが、これにあえて応答するものだ。偽物であるばかりか邪悪有害だと自分自身が見なしたルールは、一貫して破るのがわたしである。内容も理由もわかった上でやっているのだ。

そして、自分の言葉でやっていることの中身とその理由を理解する——それこそ、書き手にとって大事なことだ。そのためには、自身の邪魔になるルールとしてでなく自分を支援するツールとして、語法や句読点を巧みに操れるくらいの知識が必要である。

あの「跳び蛙」の一節を見るといい（二六ページ）。言葉遣いはあえて〈正しくない〉が、句読点には一分の隙もない。方言による言葉遣いやリズムをわかりやすく読者の耳に届ける上で、見事な役割さえも果たしている。句読点がおろそかだと、書かれた文章は不明瞭で無様なものになってしまう。配慮の行き届いた句読点は、続く流れをわかりやすくする。それこそ大事なことだ。

今回の練習問題は、まずもって意識を向上させるためのものだ。使用を禁止することで、どうか句読点の真価を考えるようになってほしい。

〈練習問題②〉ジョゼ・サラマーゴのつもりで

一段落〜一ページ（三〇〇〜七〇〇文字）で、句読点のない語りを執筆すること（段落などほかの区切りも使用禁止）。

テーマ案：革命や事故現場、一日限定セールの開始直後といった緊迫・熱狂・混沌とした動きのさなかに身を投じている人たちの群衆描写。

複数人なら：今回だけ、グループ全員でまずは作品を黙読してみよう。作者が声に出してしまうと、なんとかついていけてしまうことだってありえる。作者の声なしで、どれくらい理解できるものなのかが要点だ。

論評時の反省や話し合いでは：区切りのない言葉の流れが、どれくらいテーマとかみ合ったか？　句読点のない流れが、実際どの程度、語りとしてかたちになっているか？

執筆後の反省では：どんな種類の文章に似ているか？　普段通り目印や区切りを使った文章と、どんなふうに違っているか？　課題のおかげで、普段の書き方と異なる執筆になったか？　または、書こうとしていたものに別のアプローチが見つかったか？　このプロセスは役に立ったか？　結果は読めるものになっているか？

句読点が意識の外に置かれがちなものになっているなら、ここで取り組みがいのある代物をひとつ。独習問題である。自分が好きで評価している書籍から数段落を抜き出し、自力でよく検討して、その句読点の付け方を分析すること。その作者のやっていることは何か、その文をそんなふうに区切る理由とは、そこで一時停止を挟む理由とは、句読点のおかげで生まれたその文のリズムは実際どの程度か、その実現方法とは？

一週間後：ここでようやく、ワークショップで取り組んだ作品を再検討して、句読点をつけてみるのも面白いだろう。句読点のない文章は、句読点なしでも何とかわかりやすくなるようにしていたはずだ。そこに句読点をつけるとなれば、書き直しが必要かもしれない。どちらの原稿が、うまくいっているように思えるだろうか？

子どものころ、パズル本で読んだ「一文を四つに分けよ」という問題は、広い意味では句読点の力を、狭い意味ではセミコロンの目的を、まざまざと教えてくれるものだった。

All that is is all that is not is not that that is is not that that is not that is all.

この一文の意味が通じるようにするにあたって、必要なのはセミコロン三つだけ。いくらでもピリオドを用いて構わないが、そうすると文がぶつ切りになりがちだ。

［語の多義性と文法の構造を生かしたクイズのひとつで、適切な句読点を適切な位置に入れることで文章を成立させる問題。解答は巻末の訳者解説にて］

第3章
文の長さと複雑な構文
Sentence Length and Complex Syntax

風が凪いだ。すっと弛んだ帆。

船は減速、停止。立ち往生だ。

The wind died. The sail fell slack.
The boat slowed, halted. We were becalmed.

文とは謎に満ちた存在であるから、ここではそれが何かと説くのではなく、その機能だけを話すこととしたい。

語りにおける文は、次の文へとつなぐことが主なつとめである。この気づかれにくい基本となる役割のほかにももちろん、聴覚・知覚・美意識・脅威・迫力の上でできることが数限りなくあるのが語りの文だ。そのために必要なのが、まずひとつの性質――〈一貫性(コヒアランス)〉である。文のつじつまが合っていないといけないわけだ。

前後がかみ合わずばらばらで、単なる寄せ集めの文になってしまうと、まとまりもできないので、次の文へと途切れなく続いていかない。文法がしっかりした文は、整備のしっかりした機械にとてもよく似ている。機械が動くのは、全パーツが正常に機能しているからだ。文法がおそろかでは、元々の設計がぐらつくばかりか、ギアに砂が入ったり、パッキンのサイズを間違ったりしてしまう。

文章の設計上の問題としてありがちな例をここで紹介しよう。まずはいちばん頻度の高いものから。

置き間違い

・彼女は転倒の瞬間、立ち上がっていて鼻を骨折していた。［骨折のタイミングはいつ？］
・それはとても退屈な事件ばかりの会話だった。［「退屈な」はどこへかかる？］
・テストが出ても満点で当然だと彼は自信満々だった。（「テストがいつ来ても満点が取れるくらい自信満々」なのか、それとも「机から満点の答案が出てきたがそんなの当たり前だと自信満々」なのか？）
・彼女は不必要なのに届いた彼の電子メールに不機嫌な返信を送った。
・不必要なのに彼女は届いた彼の電子メールに不機嫌な返信を送った。
・彼女は届いた彼の電子メールに不必要なのに不機嫌な返信を送った。［「不必要なのに」はどこへかかる？］

こんなふうに考えてみるといい。文の全パーツがうまくかみ合う正解がひとつあって、書き手の仕事はそれを見つけることなのだと。言葉のかかり方がおかしくても、書き直すにあたって再読するまで気づかないことだってある。その対策として、ただ語順をわずかに並び替えるだけでいいこともあれば、文章全体の再考と書き直しをする羽目になることもある。(例に挙げた不機嫌な返信についての文は三つともあやしいわけだが、さて自分ならどう修正する?)

ぶら下がり語句

・家を出るなり高くそびえ立つ大きなオークの木。
・おいしい夕食を食べたあとのソファはふっくらとして気持ちよさそうに見えた。

本来は別の主語があるはずの語句をぶら下げてそのままにするのは、大半の書き手がやってしまうことで、それで大して害のないこともある。ただ、家から出てくる樹木や、人を食べて満腹のソファでは、せっかくの情景が台無しになることもあるわけだ。

結合炎(つなげすぎ)

・ふたりは盛り上がって、ふたりはダンスしているみたいな気分になって、それからふたりはヘミングウェイも読み飽きたみたいな気分になって、もう夜だった。
・ふたりは盛り上がりたかったが、ダンスするにはもう暗すぎたが、どのみちちょうどいい音楽がどちらの手持ちにもなかった。

短い文をどんどんつなげてしまうのは、文体の癖であって間違いではないけれども、素朴な使い方ではどこか子どもっぽく単調になって、そのせいで物語が追いづらくなってしまう。

書き手としてはやはり、読者についてきてもらわないと困る。物書きは水玉服の笛吹きで、その文章は奏でている音色、読者はハーメルンの子どもたちなのだ（あるいはそちらがお好みなら、ドブネズミたち）。

その笛の音色が突飛(とっぴ)なら、つまりその文がかなり普通とは違ったり装飾過多だったりするなら、むしろハーメルンの笛吹き伝説とは逆に、読者はついていきたくなくなったりする。するとここで、あの過大評価されてむしろ不快な〈愛しきものを殺せ！〉という助言が当てはまる。とりわけご立派すぎて物語を止めてしまうような文には当てはまる。文章を語りの文として機能させないものとしては、たとえば語順が想定外すぎるもの、形容詞や副詞が目立ちすぎるもの、直喩*や暗喩*が強烈すぎて一瞬わからないものがあり、つまり読者を立ち止まらせて「えっ」と口に出させてしまうようなものだ。

　詩ならそういう問題もうまくいなせる。詩では一行なり数語なりで、読者が息継ぎや感歎ができる上に、いったん読むのをやめてその美をしばらく噛みしめることも可能だ。しかしナボコフといった作家たちの手の込んだ凝った文体を高く評価する人は多いが、正直のところ個人的には読み通すのも難しい。毎度毎度立ち止まっては拍手を待つような具合だからだ。

　おそらくフェアな言い方をするなら、一文一文の優美な流れは確かに好ましいけれども、文体の適切な美と力なるものは作品全体に宿るのだ、となる。

先ほどの練習問題①を〈文はうきうきと〉にしたのは、名文はいつだって耳に心地よいものだ、という見逃されがちな事実から始めたかったからだ。しかし優れた語り、とりわけ長い語りではたいてい、言葉そのものがじかに輝くというよりも、ひびきやリズム、設定に登場人物、動き（アクション）と相互のからみ、会話から感情に至るまでが一体となって機能しているもので、そのおかげで読者は固唾をのみながら声を上げつつ……ページをめくってその次の展開を確かめようとする。であるからこそ、そのシーンが終わるまでは、一文一文でしっかりと次の文へとつないでいかないといけないのだ。

あらゆる文には固有のリズムがあり、それでいて各文は作品全体のリズムの一部でもある。歌の進行や馬の走り、物語の展開をうまく保つのがリズムだ。

そして散文のリズムは、（面白みとしては散々だが）まさしく文の長短によって生じるものだ。

児童たちにわかりやすい文を書かせようとする教師も、〈無色透明〉な文体という持論で書かせようとする文章教本も、自作の突飛なルールや固定観念で書かせようとする記者も、バンバシッという乱闘好きのサスペンス作家も——どいつもこいつも、短い文（センテンス）だけがいい文章なのだという思い込みを、おおぜいの人の頭に詰め込む後押しばかりしてくる。

有罪となった犯罪者なら「刑期（センテンス）は短いほうがいいという意見に」うなずくだろうとも。わたしには無理だ。

そして悲しいかな、人は複文が書けないばかりか、読めない。「まあ、ディケンズなんて読めないよ、長い文章ばっかりだし」。こうしてわたしたちは、われらの文芸をバカでもわかる文章に明け渡しつつある。

単独であれ連続であれ、ごく短い文も適切な箇所でなら効果も高い。ただし、構文も簡単な短文ばかりで構成された文体は、単調でぶつ切れなのでいらいらする。短文だらけの文体を長く続けると、その中身がどんなものであっても、そのズシンッズシンッという調子から生まれるのは見せかけのわかりやすさで、たちまちバカらしいだけのひびきとなる。ほらスポットだ。ほらジェインだ。ほらスポットがジェインを噛む。［『ディックとジェイン』という定番の幼児向け読本にありそうな例文で、スポットは犬のこと］

短文ばかりの文体のほうが〈会話に似ている〉なんて、でっち上げだ。作家というのは、会話のとき以上に、考えた上で文章を綴る。作家はじっくり考えて書き直すものなのだ。むしろ人は、書くときよりも話すときに、文をだらだらと連結*しがちである。たっぷり節*や限定詞を使いながら、ややこしい考えを声に出してたどっていく。口述すると文がくどくなるという悪評もある。秘書にその小説を口述筆記させ始めたヘンリー・ジェイムズは、修飾癖や挿入癖、節のなかに節を埋め込む癖が押さえられなくなり、結局は語りの流れが詰まったり、文体が自己パロディの瀬戸際でふらついたりしたものだ。誰かの文体に耳を澄ませることは、誰かの声のひびきに惚れ込むことと別物なのである。

語りの文体のなかでも、たっぷりと埋め込み節*が入った上にあらゆる統語構造*の用いられたもっぱら長い複文ばかりで構成されたものは、やはりそれなりの注意が必要である。長い文は、わかった上で注意を払いつつ取り扱い、しっかりと組み立てなければならない。そのつながりの明確化も必須で、うまく流れて読者がゆうゆうと進めるくらいにしておくこと。素晴らしいほどしなやかにつながった複文というものは、長距離ランナーの筋肉と腱にも似ていて、いつでも適切な歩調（ペース）を立ち上げて維持できるようになっているのだ。

文の長さに最適はない。変化に富むのが最適だ。いい文体において文の長さは、前後の文との対比や相互作用（と言わんとすること、やろうとすること）から決まってくる。

・ケイトは銃を撃つ。（短文だ）

・ケイトは、自分の夫がこちらから何か話しかけてもまったく関心なしだと気づくものの、同時にこちらも相手に感心があろうとなかろうと大してお構いなしだし、こうした感情の欠如こそが現状考えたくないことの不吉な兆しにもなると悟るのである。（この種の題材なら、それなりの長さでこそ効果が出てくる複文が、確かに必要にもなる）

書き直す段で、変化がついているかどうか意識して確認することもできる。もし短くぶつ切れの文が多くてがたがただったり、長文の沼に足を取られて動きが遅くなったりするようなら、文章をいじって変化のあるリズムと歩調をつけてみるのもいいだろう。

実例五

ジェイン・オースティンの文体は、やはり十八世紀の端正な文体にかなり近いわけだが、現代人の耳には格調高く落ち着きすぎたようにひびくかもしれない。ただし、声に出して読んでみると、むしろびっくりするくらいに平易であるし、さらに変化に富むあざやかな文章のひびきと、ほどほどの力加減がわかってくるはずだ（だからこそオースティンの小説は、たくさんある映画化作品のなかでも、その会話部分がほとんど書籍から改変されていない）。構文は複雑ながらも明快である。文を長くする接続部には多く半休止符（セミコロン）が使われている。とはいえ、半休止符の代わりに句点を用いても同じように〈正しく〉なる文がほとんどだ。なぜオースティンはそうしなかったのか？

第二段落は、まったくの一文である。声に出してひびきを聞けば、その文の長さのおかげで、最後の節に重みが出ているのがわかると思う。それなのに重苦しいわけでないのは、文が繰り返しのリズムで区切られているからだ――「いかに悲惨で、いかに許しがたく、いかに絶望的で非道なことか」。［邦訳：中野康司訳（筑摩書房）など］

ジェイン・オースティン『マンスフィールド・パーク』より

ファニーの性格の悪口を言うものだから、サー・トマスもさすがに不当だと思ったものの、先ほどまで同じ所感を呈していた手前、とりあえず話題を変えようとしたが。何度かやってようやくうまくいく始末で。というのもノリス夫人は鈍いたちで、このときも、いやどんなときも、彼がかなりその姪を高く評価していること、また姪をこき下ろして実子の引き立て役になってもらおうなどとは思っていないことがわかっていないのだ。彼女はファニーへの当てつけをやめず、食事のなかばまで彼女のひとり散歩をとがめ続けた。

しかしながら、ようやくそれも終わり。宵とともに次第とファニーも落ち着き、嵐のような朝のあととは思えないくらい、気持ちも晴れやかになってきたのだが。そもそもから自分の行動は正しいと、自分の判断は間違った方向にないという自信があったし﹆まずもって自分の動機がまっすぐであることは請け合えたわけで﹆それに伯父上の不興が鎮まりつつあるという期待も持てそうで、凪（な）いでしまえば今回の件もいっそう公平に考えて、善人らしい所感として、いかに悲惨で、いかに許しがたく、いかに絶望的で非道なことかわかってくださるはずなのだ、愛情のない結婚というものが。

　明日に差し迫ったあの対面さえ乗り越えれば、この件にも最後の決着がつくと彼女もひそかに期待してしまうところがあって、クローフォド氏がいったんマンスフィールドを離れれば、あらゆることは途端になかったことになると思っていたのだ。クローフォド氏が自分の愛情に長々と悩むだなんて思えないし、ありえないと﹆そんな心の持ち主ではないと彼女は考えていた。そんなものはロンドンがすぐに癒やしてくれるはずだった。ロンドンに行けば、のぼせ上がったこともたちまち自分からあきれだして、彼女の正しい分別よありがたや、おかげさまで不幸な結末から免れたとでも思うのだろう。

［実例の性質上、ここでは原文の半休止符（：）をシロテン（﹆）に代えて用いた。以下実例八まで同じ］

実例六

この『アンクル・トムの小屋』［邦訳：小林憲二訳（明石書店）など］の愉快な一節は、ゆるやかにつながった複数の長い文から構成されていて、作者の執筆対象である際限なくガタゴトと混沌とした道ゆきについて、オノマトペを用いながら写しきっている。ストウはいわゆる〈名文家〉ではないが、まったくのところ第一級の物語作家だ。彼女の文体は、ねらった通りのことを行った上で、そうしてうまく読者を運んでいく。

ハリエット・ビーチャー・ストウ『アンクル・トムの小屋』より

このような道を進むなか、この上院議員は身をぐらぐら揺らされながらも、引き続き考えられる限りの品性についての物思いをしつつ――馬車はこんなふうに前進していく――ドン！　ドン！　ドン！　バシャン！　ぬかるみにズブン！――上院議員と女と子どもは、いきなり座席が入れ替わったり、元の位置に戻るひまなく、傾いた側の窓にぶつかったり。馬車が立ち往生するさなか、外にいるカジョウが馬たちを大声であおっているのが聞こえてくる。さまざま強く弱く引っ張っても甲斐なく、上院議員がもう堪えきれなくなったその瞬間、いきなり馬車がひと跳ねして元通りになるや――前輪ふたつが別の凹みにはまり、上院議員と女と子どもは全員ひっくるめて前方座席にごろりん――上院議員の帽子がぎゅっとその目鼻をぶしつけにも覆ってしまって、まったく窒息するかという思いだった――子どもはわめき、外のカジョウは必死に馬に命令を出すけれども、鞭をくりかえし打っても、馬は蹴ったりもがいたりこわばったりするだけだった。馬車がさらにひと跳ねして動き出したら――また後輪がはまって――上院議員と女と子どもは後部座席に飛ばされて、男の肘が女の帽子に当たったり、揺れで跳ね上がった男の帽子に女の両足がつっこまれるなどあった。しばらくあって、〈ぬかるみ〉は通過できたが、馬たちは息を切らして立ち止まる――上院議員は自分の帽子を見つけ、女も帽子を整え直し、子どもをなだめて、一同はまだ先があると気を引き締めるのだった。

実例七

この『ハックルベリー・フィン』［邦訳：柴田元幸訳（研究社）など］の美しい一節はいろんなことの実例になりうるものだが、ここでは、短い（ごく短い）文の要素を半休止符でつなげたかなり長い文の例として使ってみよう。短文をつなげて長文にしたことで、リズムができた上に、声を出して——そっと——話している人物のその声の個性が現れてきている。この一節は、朗々とも力強くも読んではいけない。ここには固有の声がある。ハックの声は、抑えられていてどこも出過ぎたところがない。静かで穏やかで一本調子だ。その流れは川のようにひっそりとしながら、夜明けのように確かである。言葉のほとんどは素朴で短い。文法警察に言わせれば〈正しくない〉文法もいくらかあって、そのために引っかかっては流れていくさまは、まさしくここで描かれている沈み木と水流のごとくだ。なんとそこには死んだ魚もおり、それから太陽が昇るわけだが、今作こそ全文芸における大いなる日の出のひとつである。

マーク・トウェイン『ハックルベリー・フィンの冒険』より

[…]それからぼくらは砂だまりにおしりをつけて、そこの水はひざまでしかないけれど、とにかく日の出が来るのを見守った。どこにも音がない——まったく、しいんとして——全世界がねむっているみたいで、たまにウシガエル連中がゲコゲコしている、くらい。はじめに見えたのは、水面の向こうを見つめてみると、なんだかぼんやりした線で——それは川向こうの森で——ほかにはなんにもわか

らなくて。そのうち空にひとつ青白いところができて。そのうちその青白いのがだんだん濃く広がってきて。そのうち川の遠くのほうがほんのりして、もう黒でなくなって灰色で。見えてくるちっちゃな黒い点々が、ずっと遠くの水面でふわふわ——あきない舟かなにかで。それから長い黒すじは——いかだで。たまに聞こえてくるのがギイッとこぐ音とか。あと入りまじった人の声とか、あたりはしいんとしているから、音は遠くからでも聞こえて。それでじきに見えてきたのが、川面のひとすじ、つまり水にすじが見えるってことは、流れが速いところに沈み木があるってことで、水流がくだけてそんなふうに、すじができてるってことだから。あとほら、もやがくるくる水面から立ち上って、東の空が赤らんで、それに川も、それから丸太小屋が森の外れ、ずっと向こうの川岸にあって木材置き場かな、でもあのつみ方はざるで、どこからでもすきまに犬を投げこみほうだいだな。そのうち気持ちいいそよ風がさっとふいてきて、向こうからあおいでくれるので、すずしくさわやかで、いいにおいもして、森とか花のおかげかな。でも、ときにはそうでもなくて、だって死んだ魚がそこらに転がったり、あの細長いガーとかさ、それでツンとくさくなるんだよ。まあそんなうちにすっかり日が出て、みんなお日さまあびてにこにこ、鳥もいっせいにさえずりだすんだ！

［本実例の訳出には、パブリック・ドメインの吉田甲子太郎訳も参考にした］

実例八

この一節では、文のさまざまな長さ、括弧や挿入を含む構文の複雑さ、そこから得られるリズムに耳を澄ませてみよう。流れては区切りが入り、一時停止ののちまた流れ――それから一単語の文で、止まる。［邦訳：鴻巣友季子訳（河出書房新社）など］

ヴァージニア・ウルフ「時はゆく」（『灯台へ』第二部）より

そうしてまさしく平穏が訪れた。平穏を知らせる風が海から岸へそよいだ。もうその眠りを乱しはしない、いっそう深い安らぎへの子守歌だ、夢見る人よ、どんなに神々しい夢でも、どんなに考え抜かれた夢でも、確かに見せてやろう――そう囁(ささや)いているにちがいなく――かたわら、リリー・ブリスコウは頭を枕に載せて、そのしんとした小ぎれいな部屋で海の音を聞いていた。開け放しの窓から世界の美を語る声が囁きかけてくるのだが、あまりにか細くて正確な言葉がわからない――とはいえ言わんとすることが明白なので、別にいいではないか？　そうして眠る人々を誘うのだ（小屋はまた満員で。ベックウィズ夫人やカーマイクル氏も滞在中）、そのまま浜辺に下りてくる気にもならないなら、せめてブラインドを上げて、外をながめてはどうかと。そうすれば夜が紫の衣をなびかせ、冠をかぶり、笏の宝石をきらめかせるから。夜の目に映る子どもの顔は、さてどんなものか。それでいて、ためらうというなら（旅でくたくたのリリーはばたんきゅう。カーマイクル氏はロウソクの明かりで読書中）、なおも嫌だと言い、この華やかな夜もまぼろしだ、朝露のほうがまだ魅力があるから、むしろ眠りたいと言うのなら。だったらおとなしく文句も言い争いもなく、その声は自らの歌をうたうだろう。おだやかに波は砕け（眠りながらリリーはその音を聞き）。やさしく灯光はふりそそぐ（まぶたを閉じてもわかるくらい）。どれもまるで、と本を閉じたカーマイクル氏は眠りに落ちながら思う、かつての景色とそっくりだ。

まさにその声が再び帰ってくるとすれば、それは夜のとばりが家屋全体を、ベックウィズ夫人とカーマイクル氏とリリー・ブリスコウをまとめて覆う時間帯で、そうして一同の瞳に幾重にも闇がつつみかぶさるというなら、どうしてこれを受け入れ満足し、あきらめてただ身を任せようとしないのか？　広がる海全体のため息が、島々のまわりで奏でるように砕けて、一同の心を和らげて。夜が一同をつつみ。眠りを乱すものもないまま、やがて鳥のさえずりが始まり、夜明けがそのか細い声を純白に織り上げ、荷馬車がきしみ、どこかの犬が吠え、太陽がとばりを引き上げて、一同の目のヴェールをかき上げると、リリー・ブリスコウも寝ぼけながら寝返りを打つ。彼女は自分の毛布を引っつかんだが、まるで転落する人が崖のきわの芝を引っつかむようだった。目が大きく見開かれた。またここに戻ってきた、と思いつつ、ベッドに入ったまままっすぐ身を起こす。目覚めないと。

読書案内

ヴァージニア・ウルフの思想や作品は、それ自体すばらしいだけでなく、いかに書くべきかと考えている者にも有益である。わたしの耳にはウルフの文体のリズムが、英語でなされた創作のなかでも最も繊細で力強いものとしてひびく。

彼女は作家友だちへの手紙で、文体についてこんなことを述べている。

文体とはごく素朴な問題であり、つまりはすべてリズムなのだ。いったん乗れば、もう間違った言葉は出てこない。ところがかたや、朝も半ばを過ぎてここに座っているわたしは、着想（アイデア）や夢想（ヴィジョン）などでいっぱいなのに、その正しいリズムが得られないために、そいつを外へ出せないでいる。今やこれはたいへん深刻で、リズムとは何か、そう、言葉以上のはるか深いところに入っている。情景、情感がまず心のなかにその波を作り、そのあと長い時間を経て、見合った言葉が生まれてくる。

書き手の行為の核心にある謎について、これ以上に語るものを読んだことがない。

パトリック・オブライアンの海洋小説シリーズ（第一作は『新鋭艦長、戦乱の海へ』〔高橋泰邦訳（早川書房）〕）には、そんな長さだとはとても思えないほど明快鮮明でよどみない見事な文章が見られる。ガブリエル・ガルシア＝マルケスはいくつかの小説で、ノンストップの文章や、段落分けのないものなど実験を試みている〔邦訳：前者は鼓直訳「幽霊船の最後の航海」『エレンディラ』（筑摩書房）、後者は鼓直訳『族長の秋』（集英社）〕。ごく短い文章や、短いものをつなげて組み上げた長い文章なら、ガートルード・スタインや、スタインから多くを学んだアーネスト・ヘミングウェイに目を向けてみてもいいだろう。

〈練習問題③〉長短どちらも

問一：一段落（二〇〇～三〇〇文字）の語りを、十五字前後の文を並べて執筆すること。不完全な断片文*は使用不可。各文には主語（主部）と述語（述部）が必須。［英語の主語＋述語という主体と動態の関係構造は、日本語にそのままで当てはまるものではないため、たとえばここでは、〈何〉について〈どう〉であるか、のように主題を対象とする陳述・叙述が成立していればよいものとする］

問二：半～一ページの語りを、七〇〇文字に達するまで一文で執筆すること。

テーマ案：問一なら、ある種の緊迫・白熱した動きのある出来事――たとえば、誰かが眠っている部屋に忍び込む泥棒。問二は、一文がたいへん長いので、感情が力強くぐっと高まっていくさまや、おおぜいの登場人物が盛り上がってひとつになるさまが、ぴったりだ。事実でも架空でもよいが、ある家族の思い出はどうだろう。たとえば、ディナーの食卓や病院のベッドなどでの重要シーン。

付記：短い文だからといって、短い語で組み立てる必要はない。長い文だからといって、長い語で組み立てる必要もない。

論評では：短い文や長い文が、語られた物語とどれくらい合っているかを話し合うのも、面白いだろう。短文ばかりで自然に読めただろうか？　長文の構造はどうか——慎重につながったものか、それともほとばしる急流か？　長文の構文は、迷った読者が最初に戻って読み直さなくても大丈夫なくらい、明快性と安定性があるか？　無理なく読めるか？

執筆後の反省や話し合いでは：どちらかの練習問題で、普段はあえてしない書き方で執筆することになったのなら、その取り組みが楽しかったか、役立ったか、いらいらしたか、勉強になったか否かと、さらにその理由を考えてみてほしい。

今回の練習問題で、文体の大事な要素として文の長短に興味が出てきたなら、もっと取り組んでみたくなるかもしれない。

〈練習問題③〉追加問題

問一：最初の課題で、執筆に作者自身の声やあらたまった声を用いたのなら、今度は同じ（または別の）題材について、口語*らしい声や方言の声を試してみよう――登場人物が別の人物に語りかけるような調子で。

あるいは先に口語調で書いていたなら、ちょっと手をゆるめて、もっと作者として距離を置いた書き方でやってみよう。

問二：書いてみた長い文が、単に接続詞や読点でつなげただけで構文が簡単になっているなら、今度は変則的な節や言葉遣いをいくらか用いてみよう（ヘンリー・ジェイムズを参照のこと）。

すでに試みたあとなら、ダーシなどを駆使してもっと〈ほとばしる〉文を書いてみよう――さあ、あふれ出させろ！

両問共通：二種類の文の長さでそれぞれ別の物語を綴ったのなら、今度は同じ物語を両方で綴って、物語がどうなるのか確かめてみよう。

またここで〈段落(パラグラフ)〉について取り上げておくべきだろう。というのも文と同様、語り全体の整理と連結において、段落は大事な要素だからだ。とはいえ、段落分けの練習をやろうとすると、それなりの紙幅を費やさないとためにならない。段落分けは大事なものだが、要約して論じるのも困難だ。

段落分けについては、書き直す際にたえず念頭に置くべきことだ。どこであのささやかな字下げを行うかが大事なのである。流れのなかのつながりと区切りを示すもので、構成上欠かせない部分であり、作品の長いリズムのパターンとなる。

次に掲げるものは、むしろ意見としては偏っているのだが、だからこそ提示したい。

段落分けについての持論

いくつかの執筆指南書で、「小説の書き出しは、一文だけの段落にするべし」「物語では五文以上の段落を作らざるべし」などと断言しているのを見かけたことがある。ゴミか！　そのような〈ルール〉はおそらく、段組で印刷された定期刊行物（新聞やパルプ雑誌や『ニューヨーカー』誌）が起源で、頻繁に字下げしたり大きなドロップキャップを用いたり空白行を入れたりしないと誌面が黒インクで詰まるため、どうしても余白が必要だったことに由来している。というわけで、その種の定期刊行物に掲載される際は、編集者が勝手に改行や段落字下げを増やすのを覚悟しておくこと。ただし自分の文体ではわざわざそういうことをしなくていい。

　段落も文もできるだけ短くしておくという〈ルール〉もおおかた、「ブンガクのひびきがする文を書いちゃったらその原稿は没にするね」なんてことを堂々とのたまうたぐいの作家から来ているわけだが、そういう輩（やから）に限って、素っ裸で口数の少ないマッチョな文体でミステリーやサスペンスを書くのだ——それこそ自意識過剰で凝ったブンガク文体だというのに。

［そもそも〈段落〉が何なのか、英作文では初歩として習うことなのでここで補足したい。日本語の作文では、見やすさや何となくで段落分けすることもあるようだが、英作文だと、一段落（パラグラフ）に収める内容は一題目（トピック）だという決まりがある。段落内で語られるのはひとつの小テーマであり、扱う内容や話題が変わるのならそこで段落を分ける。これが物語となると、一段落に一カットや一シーンが収まるわけだ。場合によっては、一段落が一アクションや一セリフになることもある。日本語文で従う必要は必ずしもないかもしれないが、映像や絵コンテを思い浮かべながら（あるいはアウトラインプロセッサを用いながら）執筆するタイプの人なら、物語の管理が楽になるという利便はあるだろう］

第4章

繰り返し表現

Repetition

突風が運んで来る雨、
寒雨が寒風に重なる。

The sudden wind brought rain,
a cold rain on a cold wind.

記者や講師というものは、悪意はないのだろうが取り返しのつかないことを押しつけてくることがある。その妙ちきりんで勝手なルールのひとつでは、同じページ内では同じ言葉を二回使ってはいけない、とされている。そのせいで、やけになりながら類語辞典をめくって、むりやり同義語や代替表現を探す羽目になる。

類語辞典は、必要な言葉をど忘れしたときや、使う言葉の幅を実際に広げないといけないときには、ありがたいものだが――利用は慎重に行うこと。辞書の言葉は、自分のものになっていない言葉だ。ハトの群れに交じった一羽のフラミンゴのように自分の文章から浮いてしまうことがある上に、そのトーンさえも乱しかねない。「彼女はたっぷりのクリームに、たっぷりのお砂糖、たっぷりのお茶を楽しんだ」と、「彼女はたっぷりのクリームに、みっちりのお砂糖、たんまりのお茶を楽しんだ」は同じではないのだ。

繰り返し表現は、やりすぎてわけもなく言葉を強調してしまうと、ぎこちなくなる。

「彼は勉強部屋で勉強していた。勉強中の本はプラトンだ」と、子どもっぽく何度も重ねてしまうのは、執筆時に読み直したりしていないからだ。誰でも時々やらかしてしまう。同義語や別の言い回しを見つければ、書き直す際にやすやすと訂正できる。「彼は勉強部屋で、プラトンを読みながら、ノートを取っていた」とかなんとか。

　しかし、一段落に同じ語を二度使うなというルールを定めたり、繰り返し表現は避けるべしと断言したりすれば、物語文の本質に真っ向から背くことになってしまう。言葉・フレーズ・イメージの反復、言ったことの復唱、似た出来事の再演、エコーや反映に変奏——民話を語るおばあちゃんから、どこまでも格調高い小説家に至るまで、あらゆる語り手はこの仕掛けを使うものであり、この仕掛けが巧みに使えれば、文章では大いに力強さが出てくる。

　強引な脚韻やビートのリピートをしても、詩でもない散文では散々だ。できたとしても、右の文よりも控えめなものにしないとだめだ。繰り返し表現はリズムを生み出す主要な手立てだが——散文のリズムというものは、ふつうあからさまではなく、隠れていたり、目立たないようになっていたりする。その場合、小説全体のかたち、すなわち小説内の出来事の流れ全体も含めて、長く大きなものになることがある。見つけづらいくらいに長く、さながら山道を進んでいるさなか山の形状が見極めにくいかのごとし。それでも山はそこにある。

実例九

「カミナリという名のアナグマ（"The Thunder Badger"）」［未訳］の語りは、おごそかだとも、儀式のようだとも言えよう。散文と韻文という区別の前からある口述の一形式だ。こうした語りではいずれも、まったくためらいなく繰り返し表現が用いられる。堂々と頻繁に使うことで、物語のかたちを作るとともに、呪文／自己暗示（インカンテーション）のように、ふさわしい威厳と迫力を言葉にもたらしている。このパイユートに伝わる物語は、まじめぶっておごそかなのではなく、ただふつうにおごそかなのである。これは大半の物語と同様、冬にのみ語られるべきものだ。季節外れに語り直すことをどうか許してほしい。必ず実際に口に出して読むこと。

「カミナリという名のアナグマ」（W・L・マーズデン『オレゴンの北パイユート語（*Northern Paiute Language of Oregon*）』所収の逐語訳、筆者によるわずかな修正入り）**より**

その男、カミナリ、怒るは大地が干上がったため、湿った大地がないため、そこで大地を湿らせたいと思った、なぜなら水が涸れてしまっているから。

その男、カミナリ、雨の主、雲の上に住んでいる。霜をあやつる。その男、カミナリのまじない師、アナグマの姿で現れる。雨のまじない師、その男、カミナリ。地を掘ったのち、頭を上に、空へ向けると、やがて雲がやってくる。やがて雨がやってくる。やがて大地ののしりがある。雷がやってくる。稲妻がやってくる。悪が語られる。

その男、本物のアナグマ、その男だけ、鼻に白い縞模様、背にも同じ。その男こそが、唯一アナグマで、この種族。その男、カミナリのまじない師、干上がった大地を好まない、掘っているとき、かくのごとく引っ掻いているさなかには。やがて頭を上に、空へ向け、雨を生み出す。やがて雲がやってくる。


言葉の上でも構成の上でも、ぞんぶんに繰り返すことが多いのが民話だ。ヨーロッパ民話によくある三者関係を順々に並べてつないでいく形式ならば、「三匹のクマ」を思い出してみるといい（なおヨーロッパの民話では出来事は三者のあいだで起こるが、アメリカ先住民の民話では四者間のことがたいへん多い）。子どもに読み聞かせるために書かれた物語では、繰り返し表現は盛んに用いられる。キプリングの『なぜなぜ話』（実例一参照〕は、呪文／自己暗示よろしく、構成上の仕掛けとして、そして読者や子どもを笑わせる目的で繰り返し表現を用いる絶好の例だ。

愉快な繰り返し表現も少なくない。『デイヴィッド・コパフィールド』〔邦訳：石塚裕子訳（岩波書店）など〕の同名主人公がミコーバー氏の「きっとひょっこり何とかなるさ」という発言を初めて耳にしたとき、デイヴィッドにも読者にもその真意があまりよくわからない。しかし、当てもなく延々と前向きに信じるミコーバー氏が、同じかほぼ同じ表現をあの大長篇のなかで口にするたびに、それこそ笑いそうになってくる。そして読者は、ハイドンの曲に必ずある楽しげなメロディの繰り返しにも似て、それを待ちわびるようになる。それでいて、不幸なミコーバー氏の口癖は繰り返されるごとに、それ以上の意味を有してくる。だんだんと重みが出てくる。おかしみの裏にある闇が、毎回ちょっとずつ深まっていくのだ。

実例十

次の例〔邦訳：田辺洋子訳（あぽろん社）など〕では、陰鬱な長篇小説に、まばゆいくらいに光の強いシーンが現れて雰囲気作りがなされるのだが、あるひとつの単語が列車の走行音のようにガタンゴトンと繰り返されている。

チャールズ・ディケンズ『リトル・ドリット』より

三十年前、マルセイユが太陽に焼けつくある日のことだった。〔…〕マルセイユとマルセイユ付近のあらゆるものが、たぎる空をじろり、そしてお返しにじろりとされて、果てにはじろじろねめつけるのがそのあたりの万物おなじみとなった。よそ者はじろじろされてあたふたし、白い家からじろり、白壁からじろり、乾燥した街路からじろり、緑の焼けつくされた丘からもじろりとされるのだ。目に入るものでじっとじろりねめつけてこないのは、ずっしりブドウの房をつけてだらんと下がる蔓（つる）だけだった。〔…〕万物からじろりとされると、目もうずいてくる。はるかイタリアの海岸線のほうでは、海から蒸発してゆらり立ちのぼる薄いもやのために、なるほど多少は軽くなっていたが、そのほかに和らぐところはない。遠方では、じろじろする何本もの街道筋が、ちりに埋もれながら、丘の腹からじろり、谷間からじろり、果てのない野原からじろりとねめつけてくる。遠方では、ちりまみれの蔓が沿道の小屋に伸びちらかして、沿道でものうげに並ぶ干からびた木々は、空と地からじろりとされて、陰もなくだらんとしていた。

もちろん繰り返し表現は、語やフレーズにとどまらない。構成上の繰り返しでは、物語内の出来事に共通点が見いだせる。互いにひびき合う出来事だ。ここには短篇なり長篇なりの全体が関わってくる。その見事な例として、『ジェイン・エア』〔邦訳：河島弘美訳（岩波書店）など〕の第一章を再読し、その部分を意識しながら作品の残りを読んでみるのもいいだろう（まだ『ジェイン・エア』が未読ならぜひ読むこと――そうすればあとの人生でいつでも思い返せる）。その第一章は、その後の予兆だらけだ――あとから作品全体を通じて立ち返ることになるイメージやテーマの導入部分なのである。たとえば、ジェインはまず内気で無口で自尊心の高い子どもとして登場し、愛情のない家庭におけるこのつまはじき者は、本と絵と自然に避難先を求める。あるとき、彼女をいたぶって虐待していた年長の少年がついにやり過ぎたために、彼女は向き直って反撃する。しかし彼女の味方をする者は誰もおらず、幽霊が出ると聞いていた上階の部屋に閉じ込められてしまう。さて、大人になったジェインだが、相変わらず別の家庭でも内気なつまはじき者となり、そこでもロチェスター氏のいたぶりに対して立ち上がり、あげく反抗する羽目となり、気づけばまた孤立してしまう。しかも今度はその家に、本当に幽霊の出る上階の部屋があるのだ。

名作小説の多くでは、第一章にたくさんの要素が詰まっていて、それぞれかたちは異なるけれども、それが作品全体を通じて変奏されながら繰り返されることになる。散文では、こうして言葉・フレーズ・イメージ・出来事などが高まりながら繰り返されるが、これが音楽構成の再現部や展開部にも似ている点がまた、なるほど深いわけである。

〈練習問題④〉重ねて重ねて重ねまくる

今回は〈筋書き(プロット)〉は提示できない。練習問題の性質上、無理だ。

問一：語句の反復使用

一段落（三〇〇文字）の語りを執筆し、そのうちで名詞や動詞または形容詞を、少なくとも三回繰り返すこと（ただし目立つ語に限定し、助詞などの目立たない語は不可）。（これは講座中の執筆に適した練習問題だ。声に出して読む前に、繰り返しの言葉を口にしないように。耳で聞いて、みんなにわかるかな？）

問二：構成上の反復

語りを短く（七〇〇～二〇〇〇文字）執筆するが、そこではまず何か発言や行為があってから、そのあとそのエコーや繰り返しとして何らかの発言や行為を（おおむね別の文脈なり別の人なり別の規模で）出すこと。

やりたいのなら物語として完結させてもいいし、語りの断片でもいい。

論評では：話題の焦点を、繰り返し表現の効果やその目立ち具合に絞ってもいいだろう。

終わったあとの反省や話し合いでは：言葉・構成・出来事をあえて繰り返すという発想について、最初からすんなり受け入れられただろうか？　取り組んでいる最中にだんだんと受け入れられるようになっただろうか？　練習問題のおかげで、自作に何らかの情調・題目・文体が出てきただろうか？　それを具体的に言語化できるか？

ノンフィクション作家に、構成上の繰り返しを用いる自由がどれくらいあるかは、わからない。似てもいない出来事を強引に繰り返しのパターンに落とし込んでも、きっとごまかしになってしまう。とはいえ、人生の出来事にもパターンがあることに気づくのが、どうやら伝記作家のゴールのひとつであるらしい。

創作やノンフィクション作品から、構成上の繰り返しを用いている例を探してみよう。繰り返しや予兆やエコーが、どれくらい語りの構造や推進力に影響を与えるのかわかってくると、よき物語を理解するにあたって大きなプラスとなるだろう。

第5章
形容詞と副詞
Adjectives and Adverbs

われらはついに航海を果たした、
お菓子箱を開ける誘惑にも屈することなく。

We completed the voyage
without succumbing to the temptation of opening the box of candy.

形容詞と副詞は種類も豊富で、よき滋養になる。色彩・生気・迫力などを添えるものだ。とはいえ、不用意な利用や過度の使用があると、やはり文章が肥大化してしまう。

副詞の示す性質が、動詞そのものに組み込めるのなら（素速く走る→疾走する）、あるいは形容詞の示す性質が名詞そのものに入れられるのなら（獰猛な叫び→咆哮）、散文はすっきり凝縮されてはっきりした表現となる。

人と話すときにはトゲトゲしい言い方は控えなさいと教わった書き手は、限定詞（〈まあまあ〉〈ちょっと〉など係る語を和らげたり弱めたりする形容詞・副詞）を使いがちだ。口に出すぶんにはいいだろう。ただし書き言葉の場合、そんなものは血を吸うダニだ。即刻つまみ出すべきである。わたしが個人的に悩まされているダニは、〈一種〉〈ある種〉〈まさに〉――そして毎度毎度の〈とても〉だ。ちょっと自分の文章をまさに一種見てみて、まさにちょっと一種の使い過ぎみたいな何かとても愛用の限定詞が入っていないか確かめてみるといい。

　これは持論の見出しをつけて述べるほど長くもないから、今からする言葉遣いにはご容赦願いたいとして、今回ここでは口にせざるをえない。〈ファッキン〉なんて副詞・限定詞は、〈本当にでかいダニ〉だ。会話でも電子メッセージでも始終この言葉を用いる輩が、どうか創作する際に、この語が「うーん」と同じくらい便利だと気づきませんように。会話文や内的独白であれば、「夕焼けはクソ（ファッキン）美しかった」や「クソ（ファッキン）ガキでもそんなこと簡単にわかる」といった文も、実際に読むといかに異様であっても許容はできる。ところが語りの地の文で、強調したり口語の勢いを出したりするために用いるのなら、その言葉はまさに反対の効果となる。つまりは、対象を弱めてつまらなく無価値にする威力がすさまじいものとなるのだ。

　形容詞や副詞には、文中で乱用されて無意味になったものもある。〈偉大な（グレート）〉が、伝えるべき重みを伝えることはほとんどない。〈突然（サドゥンリー）〉に何ぞの意味があることはめったになく、単なる転換の手立て、雑音にすぎない――「彼は街の通りを歩いていた。突然、彼女を目にした」。〈ともかく〉なども大型のイタチで、作者がわざわざ物語を考えたくないことがありありとわかる言葉だ――「ともかく彼女はまさに知っていたのだ」「ともかく彼らは小惑星にたどり着いた」。物語内で〈ともかく〉起こることなどない。自分がそう書いたから起こるのだ。責任を果たせ！
　派手な修辞的形容詞は今や流行遅れで、惹かれる書き手ももうほとんどいないわけだが、文体に凝る作家なら、詩人さながらに形容詞を用いる人もある。ただし形容詞と名詞のつながりが想定外で、強引にこじつけられると、読者も立ち止まって結びつきのほうに気を取られてしまう。こうした過度に気取った文体が功を奏することもあるが、語りの地の文としてはきわどい。わざわざ流れを止めたいか？　それだけの価値があるか？
　全物語作家に推奨――形容詞と副詞には、用心深い態度と注意深く慎重な用い方を心がけること。言語というパン屋は信じがたいほどに品数が豊富だとはいえ、語りの文章には（とりわけ長距離を走るのであれば）脂肪よりも筋肉が必要だからだ。

〈練習問題⑤〉簡潔性

一段落から一ページ（四〇〇〜七〇〇文字）で、形容詞も副詞も使わずに、何かを描写する語りの文章を書くこと。会話はなし。

要点は、情景（シーン）や動き（アクション）のあざやかな描写を、動詞・名詞・代名詞・助詞だけを用いて行うことだ。

時間表現の副詞（〈それから〉〈次に〉〈あとで〉など）は、必要なら用いてよいが、節約するべし。簡素にまとめよ。

本書を複数人で用いている場合、自宅で課題に取り組むことをおすすめする。今回はむずかしい上に、それなりの時間がかかるからだ。

現在、長めの作品に取り組んでいるなら、これから書く段落やページを今回の課題として執筆してみるのもいいだろう。

すでに書き上げた文章を、磨いて〈簡潔に〉仕上げるのもよい。それも面白そうだ。

論評では：何よりもまずやってみて、それから自分で出来を判断するのが大事だ。形容詞なり副詞なりをあちこちに足せばその作品はよくなるものなのか、それともないままで十分なのか？　問題文の条件のせいで使う羽目になった工夫や用法にも注目しよう。とりわけ動詞の選び方や直喩と暗喩の利用に、影響があったかもしれない。

今回の簡潔性という練習問題は、十四、五歳の孤高の航海者であったころのわたしが自分で考案したものだ。［修飾語（トッピング）たっぷりの］チョコレート・ミルクシェイクをあきらめきれない気持ちはあったが、わたしはなんとか副詞なしで数ページやり遂げたものだ。しかもこれは、自分のワークショップで毎回出している唯一の課題である。おかげで勉強にもなるし、文章も簡潔にできる上に、やる気も出てくる。

第6章

動詞：人称と時制

Verbs: Person and Tense

老女は過去の夢を見た、
時の海を渡るさなかに。

The old woman dreamed of the past
as she navigated the seas of time.

言語における〈動詞〉とは何が行われるか、動詞の〈人称〉とは行為主が誰か（名詞または代名詞）、動詞の〈時制〉とは行為がいつのことかを表すものだ。執筆指南書のなかには、あらゆることをなすのが動詞で、アクションこそがすべてだという考えを押しつけてくるものがある。その点には同意できないが、確かに動詞は大事だ。動詞の人称と時制は、物語る上でたいへん重要となってくる。

動詞の人称*

自伝を除くノンフィクション作品は、三人称で書かれていないといけない。ナポレオンや桿菌（バチルス）について一人称で書くとなれば、フィクションの執筆になる。

創作で語りとして使用可能な人称は、一人称単数（わたしなど）と三人称単数（彼女・彼など）であり、そのほか一人称・三人称複数（わたしたち・そいつらなど）が限定的に用いられる。二人称（あなた・きみなど）が創作で用いられるのは、当然ながら稀である。たまに、まだ誰もやっていないという思い込みから、二人称で短篇や長篇を書いてしまう人もある。

十六世紀以前の口承文学・宗教文書・文芸作品の語りはほとんどすべてが三人称だ。一人称の文章は、キケロの書簡や中世の日記、聖人の告白のほか、モンテーニュやエラスムス、初期の紀行文などに早く現れている。ただし創作の場合、登場人物を一人称で提示するにあたって、まずは正当な根拠が必要だと感じるのがかつては作者の常だった。ところが手紙を書くのなら自然と〈わたし〉で書いていけるので、書簡体小説が生まれてくる。十八世紀以降、一人称で書かれる創作がごく一般的となり、今では気にならない。しかしながら実は作者にも読者にとっても、一人称小説は人為的な想像上のプロセスとしてもともと普通でなく、あえて磨き上げられたものなのである。この〈わたし〉とは誰なのか？　書き手本人ではない。なぜならそれは仮構の自我だからだ。〈わたし〉を通して、読者がそこへ同一化することもあるが、実際には自分ではない。

三人称で物語を進めるのが、いまだにいちばんありふれていて難の少ない様式である。作者は三人称を使って自在に歩き回りつつ、彼や彼女のやったことを、それから

一、同の考えたことを物語る。

一人称の語りは、〈三人称限定視点〉という語り方の大元になるものだ。〈三人称限定〉とは文学の専門用語で、書き手が語りを、ひとりの登場人物の視点（ＰＯＶ）のみに限定することを意味する。そのひとりの登場人物が見聞きしたこと感じたこと知りえたこと思い出せること考えたことしか、書き手ははっきりと語れない。つまるところ、一人称での執筆とたいへん近いわけだ。この点は次章でＰＯＶや同じく重要な各種さまざまな制限のある三人称視点とともに論じるとしよう。かなり専門的に聞こえる物事も実は大事なのである。

ひとたび意識にのぼると、創作作品を一人称で書くか三人称で書くかは大きな選択だ。どの人称で物語るか、わざわざ考えなくてもいいときもある。とはいえ時には、〈わたし〉で語り出した物語が行き詰まり、その一人称をやめるしかなくなることもある。〈彼は言った〉や〈彼女は行った〉と切り出した物語が、三人称をやめて〈わたし〉の声に切り替える必要が出てくることもある。物語が立ち往生したり行き詰まったりした場合は、人称を変更するという選択肢も念頭に置くことだ。

読書案内

扱いにくいとはいえ、一人称の語りは創作でも回顧録でもごくありふれているので、その何千もある優れた実例から数冊を選び抜くのは悩ましい。とはいえ何かということなら、グレイス・ペイリーのものをぜひ読んでほしい。彼女の物語は、一人称の語りがはまりがちな落とし穴――気取りや自己吹聴、自意識過剰や単調さなどを、いずれも避けきっている。技巧とも関係ないささいなことに思えるかもしれない――ただ、ある女が何かについて語っているだけだと。むしろその物語は技巧に満ちた傑作だ。

繰り返しになるが、現代の短篇や長篇は三人称限定視点で語られることが多いので、参考とする作品は好きに選ぶといい。とはいえ、自分の読んでいる本がどの人称で書かれているか、人称の切り替えがあるかどうか、あるならどこでどのようになされているかについては、せめてしばらくは注目してみることをおすすめしたい。

動詞の時制*

過去時制と現在時制はどちらも、行為の継続性や、出来事と時間との関係性といったことなどがさまざまに表現できる。時間の前後関係や進展は過去時制でなら表現もたやすい一方で、現在時制はその現在と密に結びついているため柔軟性に欠ける。［過去時制・現在時制のような絶対時制の別は日本語には存在しないため、この段落に括弧で挿入された一部例文はここで省略する。以後は必要に応じて、慣例通り過去時制に完了相、現在時制に単純相などの表現を訳文に当てる］

抽象的なことを扱う文は、常に現在時制である（この文がまさにそうだ）。一般論は時間の制約を受けないから、哲学者も物理学者も数学者も神もみな現在形で話す。［原注：同等の立場を得ようとして、かつて人類学者は「ウッス人は森の精霊をあがめる」などと書いたが、最後に生き残った三人のウッス人がモルモン教に改宗して製材所で働いていたという事実を無視している。動詞の時制と同じくらい価値が中立に見えても、実は倫理上の問題が関わってくることもあるという一例だ。「言葉の誤用は魂に悪徳を誘い込む」］

脚本は現在時制で書かれているように見えるが、実際には命令の含意がある。指示というわけで——画面・舞台上でこれから起こることに触れている。「ディックはジエインににやりと笑い、銃を撃つ。血がレンズに飛び散る。クローズアップ——スポットが倒れて死ぬ」。これは描写とは異なる。役者と撮影技師、血糊係や犬など全員へ、やるべきことを伝えるものだ。［文法書では「解説の現在」とも言い、出来事の進行や動作の過程を順次解説するものとされる］

おしゃべりや会話ではみな、何よりも現在時制を用いる。「ご機嫌いかがですか？

――こちらは元気です、どうも」。ところが語りを始めるとたちまち、自然と過去時制へと入り込むきらいがある。「何がありました?」――「車をバックで入れたんですが、いきおい駐車位置をはみ出てしまったんですよ」。もちろん何かを目撃した語りは、現在時制となる。「わ、そんな、火事になってる!」「ハーフウェイラインを超えるぞ、今あいつはフリーだ!」――あるいは、美味なるフグを食べながらその魚の話をしている友人が、苦しみながら死ぬ直前にこちらへ寄越してくるツイート内などでも。

数千年間、物語はもっぱら過去時制で語られ書かれたが、時としてドラマ性の高い一節にはいわゆる〈歴史的現在〉が用いられた。さらにこの三十年ほどで、創作・ノンフィクションを問わず、語りに現在時制のみを用いる書き手も多くなってきた。今となっては現在時制も至るところで見られ、若い書き手にはそれが義務だと思う者もあるほどだ。ある若者がわたしに言うには、「昔の死んだ作家は過去に生きました、だからその人たちは現在では書けなかった、ところがわたしたちにはできるのです」。どうやら〈現在時制〉という名詞をそのまま受け取って、今の時間のことだとし、そして過去時制は遠い過去のことだと考えたらしい。おそろしいくらいに素朴な考えである。動詞の時制には、実在上の現在性や過去性の含意はほとんどないので、むしろたいていの場合で交換可能だ。

　忘れてはならないことだが、そもそも書かれた物語は、空想の産物であれ事実に基づくものであれ、まず紙面にのみ存在するものである。現在時制の語りにしても過去時制の語りにしても、まったくの仮構である。

　現在時制の語りは、目撃したものを語るかのように聞こえるため、〈現実味が上がる〉ものとして人に受け取られる。そして書き手の大半が採用する理由とは、そのおかげで〈臨場感が高まる〉からだ。「わたしたちは、過去ではなく現在に生きているのだ」として、強引に正当化してくる者さえある。

　ところが、現在にだけ生きるとなれば、それは新生児だけ、または長期記憶の持てない人々だけの世界で生きている、ということになるまいか。現在を実際に生きるというのは、わたしたちの大半にとって必ずしも簡単ではない。現在に現存すること、つまり本当の現在の生とは、確かに悟りの瞑想が目指す一地点ではあるが、その修練には幾星霜（いくせいそう）かけるものだ。人間であるわたしたちは、その時間のほとんどを費やしながら自分たちの頭を、まさに今ここにないものでいっぱいにする——あれやこれや考えたり悩んだり、何かを思い出したり何かしらの計画を立てたり、携帯電話でどこかの誰かと話をしたり、誰かしらとメッセージ交換したり——そしてたまにそれを整理しようとしたときにだけ、現在という瞬間を意識して理解するわけだ。

　確かに現在時制と過去時制には大きな違いがあるが、それは臨場感の差ではなく、複雑性や規模の差だと個人的には思える。現在時制が用いられた物語では、どうしても焦点が単一時点の動態（アクション）に当たり、そのため単一地点の話となる。ところが過去時制を使えば、参照する時間と空間をたえず行ったり来たりできる。そのほうが人の心の働きに即しているし、たやすく動き回れる。人の心が今起こっていることにぐっと集中するのは、緊急事態のときだけだ。そのため、現在時制での語りは、ある種ずっと人為的な緊急事態が立ち上げられているみたいで、テンポの速いアクションにはうってつけの語り口（トーン）ともなる。

　過去時制も焦点をぐっと絞れるが、語りの瞬間の以前や以後の時間にも、いつでも入り込むことができる。描かれている瞬間は、その過去や未来と地続きになっている瞬間なのだ。

　この違いは、懐中電灯の細い光と日光との差に似ている。狭いところがぐっと明るく照らされて、その周囲は見えないもの。かたや全世界が見えるもの。

　光の性質から、書き手が現在時制に引き寄せられることもあろう。注意の先がぐっと狭まっていれば、書き手にしても読者相手にも、ばれやすい手練手管（てれんてくだ）が見えずにすむ。距離はあっても周囲を削ることで、顕微鏡のようにその場をぐっと近くする。切り抜いてできるだけ小さくする。物語を格好よく見せ続ける。そのエンジンがオーバーヒートしがちな書き手には、賢明な選択にもなりえる。わたしたちの想像力に対して（脚本ではなく）映画が大きく影響を与えていることの反映でもある。卓抜した作家たち（なかでもジェイムズ・ティプトリー・ジュニア）いわく、執筆中には物語の活動がさながら映画のように見えているらしい。だからこそ、その作家たちが現在時制を用いると、想像のなかで目撃したことの報告にもなる。

こうした現在時制の語りの照らし方も含意も、一考に値するものだ。

小説家リン・シャロン・シュウォーツの主張では、時間の前後関係や歴史の脈絡などを苦手とする現在時制は、事を簡単にしすぎるものであるから、「ひどく複雑なものは皆無となり、そんなものだから、対象の名前がわかったり事実が積み上がったりするだけで、理解ができた」とされ、それでいて「一目見てわかったことだけが理解しえた全部になる」という。このように視野が狭く、見えたままを重視することから、そのぶん現在時制は冷淡にひびくわけだ――抑揚もなく感情もなく複雑さもなく。だからこそどれも似通ったものとなる。

思うに、現在時制で書く人がそれなりにいるのは、そもそもそうすることにためらいがないからではないか。（前世ではかつて過去完了形にそれなりに難儀していたもので、来世ではゆくゆく未来完了形に難儀していることだろう。難儀など少しもしたくなかったというのに）。さまざまな時制のややこしい名前を全部覚えていないからといって、気にすることはない。もう、やり方はわかっている。中身は全部頭に入っている。「行くた」の代わりに「行った」と言えるようになったとき以来、ずっと入っているのだ。

［原注：ある自作の冒頭を、「本書内の人々が、今からずっとずっと先の未来に北カリフォルニアを生きていることになっていることもあろう」（"The people in this book might be going to have lived a long, long time from now in Northern California."）と書いた。思うにこれは、なる（go）を能動態・進行形・可能法・現代時制・三人称複数にして、生きる（live）を過去不定詞に語形変化させている。

こんなふうにあえて冗長に途方もなくつなぎ合わせたのは、自分自身と読者が足並み合わせてある架空の人々を振り返るためで、同時に、われらの遠い未来のあるときにその人たちが存在していることもある、というふりを自分たちが行うためでもある。それくらいの動詞なら変化形がちゃんとわかるという期待もあってのことだ。

浄書係（コピーエディター）は、わたしの大仰な動詞について、驚くほど情け深かった。ある書評家はその最後までたどり着けず、泣き言を口にした。別の書評家は、おそらく面白がってか賞賛してか、そこを引用した。わたしは今でもここがお気に入りだ。自分の真意を正確に伝えるには、これが最短のかたちだったのだ。そのためにこそ、動詞にさまざまな法や時制がある」

いつも現在時制で（読み）書きしているなら、頭に入っている動詞の変化形にも、長いあいだ使っていないものがいくつかあるだろう。それらをまた自在に使えるようにすれば、物語作家として選択肢の幅が広がってくる。あらゆる技芸には限界がつきものだが、時制がひとつしか使えない書き手は、油絵具セットのなかからピンクだけしか取れない絵描きにちょっと似ている。

自分の言いたいことをまとめるとこうだ。今のところ、現在時制が流行している。ただしそれが気持ちよく受け入れられないなら、自分を無理に曲げて使わなくてもいい。ある人やある物語には正しくても、別の場合には正しくない。選択が大事であって、すべては自分次第だ。

時制の併用

この点はルールとして言えなくもないが、そうしたくない。優良かつ慎重な書き手たちが、どうせ〈執筆ルール〉なんて全部粉砕してしまうからだ。だからあくまで〈高確率〉なものとして触れておく。

語りのなかで何度も時制を切り替えるなら、つまり何か目印（空白行・飾り罫*・新章）もなく頻繁に過去時制と現在時制のあいだを行ったり来たりするのなら、読者の頭がごちゃ混ぜになって、何の前に何があったのか、何の後に何が起こるのか、そのとき今にいるのか過去にいるのか、わからなくなってしまう確率が高い。

こうした混乱は、書き手が時制の切り替えをあえて行ったときでも生じてしまうことがある。自分のやっていることもわからずにやった場合、つまり自分の使っている時制が何かもわからないまま現在から過去にそして現在へとぴょんぴょん飛んでいると、読者も何が起こったのか、ましてやいつなのかもわからなくなって、最終的には乗り物酔いして不機嫌になって関心をなくしてしまう。［ここまでの話は、絶対時間の問題を考えれば、物語内の進行時間の管理のこととも捉えられる。シーンの切り替えとともに時間を切り替える場合にも注意が必要］

次に掲げる短い一節は、当代の小説から引いたものだ。その作者に恥をかかせるつもりはないので、名前や動作を変更して、シーンの特定ができないようにしてある。ただし構文や動詞の数、時制はそのまま再現している。

ふたりが、コーヒーが欲しくて入ってくる。ほかの部屋でジャニスがTVで遊んでいるのが、わたしたちに聞こえてくる。トムの目の周りに、昨晩にはなかったアザがあったことにわたしは気づいた。「きみたち、出かけたの？」

トムは新聞を手に腰を下ろし、何も言わない。アレックスが言う、「ふたりで出かけた」

わたしはコーヒーを二杯飲んだが、そのあと何も言わなかった。

［本来は、現在時制と過去時制の入り交じった原文だが、それぞれに単純相と完了相を当ててそのまま訳すと日本語ではあまり違和感がない］

六行のなかで三回も時制が変わることを気にせずに、このくだりが読めるだろうか？（正確には、単純過去の「昨晩にはなかった」が現在よりも以前の時を示すのなら、五回も時制が切り替わっていることになる。つまり過去時制の文のなかにあるのだから、それより前の時間はふつう過去完了形で示されるはず［ここは時間の相対差の問題で、日本語文の場合はむしろ「アザがあった」を「アザがある」に調整したくなる］）。こんな一貫性のないやり方で、しかも本全体がこの調子で、何か得るものがあると言えるだろうか？　作者がこのことに気づいているとも思えない。とはいえ、口にするのも恐ろしいことだ。

［つまり英語は絶対時制なので、混在させるとシーン内のブレが大きく見える。一方で日本語は単純相と完了相との相対時間なので、ブレも小さく見えるが、使い分けを誤ると多少の違和感が出てくる。シーンごとの切り替えとシーン内の混在の違いに注意すること］

地の文での時制の切り替えはささいどころか、視点人物の変更と同様に大事（おおごと）だ。考えなしにやるのは不可。その行為の自覚があるときのみ、悟られずにできる。であるから、物語の中途で時制を切り替えるのなら、自分の行為とその理由についてしっかり自覚しておくこと。やるならやるで、読者が無理なく併走できるか確認して、置き去りにしないこと。ワープ速度一〇を使うことでしか脱出できない時間異常のさなかにある不運なエンタープライズ号の乗組員のようにしてはいけないのだ。

受動態についての持論

第二章（四六ページ）で、偽ルールを論じる際にもうこの話題は示してある。多くの動詞には、能動態と受動態がある。この態を切り替えると、動詞の主語と目的語がひっくり返る。能動なら、彼女は彼を殴った。受動なら、彼は彼女に殴られた。

今読まれているこの文で使われているような受動構文は、学術論文やビジネスレターが書かれる際にかなり頻繁に用いられている。この用法が減らされる努力が見られる人たちは、英語が話される際の行為者全員によって賞賛されるべきだ。（さあこの段落を能動態で書き直してみよう！）

〈受動態を使ってはいけない〉などとまくし立てる人はあまりに多いが、実はそれが何のことかわかっていない。受動態をbe動詞と混同している人も多い。これは文法警察なら嬉々として〈連結動詞〉と呼ぶもので、そもそも受動態でさえない。ということは、その人たちはbe動詞を使ってはいけないと吹聴して回っているわけだ！　たいていの動詞は、確かにbe動詞以上に的確な場面や多様な色彩がある。とはいえ、ハムレットがあの有名な独白を別のやり方で始められたのか、とか、天主(ヤハウェ)が光を創造するときどう言えばよかったのか、と言いたくなるのもわかる。［前者は“To be, or not to be”、後者は“Let there be light.”］

「動議が委員会によって持ち越されることが提案された」――受動態がふたつ。

「委員会が未採決を申し立てることをブラウン夫人は提案した」――能動態がふたつ。

人が受動態をよく使うのは、それが直接的でなく丁寧かつ控えめであるとともに、ある考えが誰の個人的考えでもないように見せたり、ある行為が誰の仕業でもないように見せかけたりするのにうってつけで、誰も責任を取る必要がなくなるからだ。責任感のある書き手は用心する。さる臆病な書き手いわく「存在することは推論によって生ぜられると思われる」。かの勇敢な作家いわく「われ考える、ゆえにわれあり」

学術や科学、または〈ビジネス〉の言葉に長くさらされたために、自分の文体が崩れてしまっているのなら、受動表現に気をつける必要があるだろう。そぐわないところにその表現が種をまいていないか確認すること。そうなっていた場合、必要に応じて根を引き抜こう。ふさわしいところであるなら、その表現を自在に使うといい。動詞にある素晴らしい多機能性のひとつだ。

実例（一四一ページの実例十二を参照すること）

次章にある実例のひとつは、チャールズ・ディケンズ『荒涼館』の抜粋だが、今回にも実例となる。語りのなかで、人称と時制の両方の切り替えを劇的に実行してみせているからだ。もちろんディケンズは、時制の併用で読者を困惑させたりはしない――自分がどの時制をいつ、なぜ用いているかを的確に把握している。とはいえ、かなりきわどいこともしている。その長い作品中、あちこちで切り替えているのだ――ある章は三人称で現在時制、その次は一人称で過去時制、と。ディケンズの手であっても、この変化のせいでぎこちなくなっているところもある。だが、うまく機能しているさまや、うまくいっていない瞬間などを確かめたり、さまざまな効果を比較したりするのは、たいへん面白い。現在時制では焦点を絞りつつ情動*を切り離し、かたや過去時制の語りでは経験の連続性・多様性・進度がよくわかる、ということが初めてピンと来たのはこの作品でのことだ。

この練習問題は、人称と時制の切り替えから生まれる差をあえて際立たせるためのものである。

〈練習問題⑥〉老女

今回は全体で一ページほどの長さにすること。短めにして、やりすぎないように。というのも、同じ物語を二回書いてもらう予定だからだ。

テーマはこちら。ひとりの老女がせわしなく何かをしている——食器洗い、庭仕事・畑仕事、数学の博士論文の校正など、何でも好きなものでいい——そのさなか、若いころにあった出来事を思い出している。

ふたつの時間を超えて〈場面挿入(インターカット)〉すること。〈今〉は彼女のいるところ、彼女のやっていること。〈かつて〉は、彼女が若かったころに起こった何かの記憶。その語りは、〈今〉と〈かつて〉のあいだを行ったり来たりすることとになる。
　この移動、つまり時間跳躍を少なくとも二回行うこと。
一作品目：人称――一人称（わたし）か三人称（彼女）のどちらかを選ぶこと。時制――全体を過去時制か現在時制のどちらかで語りきること。彼女の心のなかで起こる〈今〉と〈かつて〉の移動は、読者にも明確にすること。時制の併用で読者を混乱させてはいけないが、可能なら工夫してもよい。
二作品目：一作品目と同じ物語を執筆すること。人称――一作品目で用いなかった動詞の人称を使うこと。時制――①〈今〉を現在時制で、〈かつて〉を過去時制、②〈今〉を過去時制で、〈かつて〉を現在時制、のどちらかを選ぶこと。
　なお、この二作品の言葉遣いをまったく同じにしようとしなくてよい。人称や動詞語尾だけをコンピュータで一括変換してはいけない。最初から終わりまで実際に執筆すること！　人称や時制の切り替えのせいで、きっと言葉遣いや語り方、作品の雰囲気などに変化が生まれてくる。それこそが今回の練習問題のねらいだ。
任意の追加問題：引き続き他の人称や時制でも試してみるのもおすすめだ。

［英語の現在時制と過去時制が、日本語の単純相と完了相と一致しないとはいえ、どちらかの相に限定して書くことは、〈海外文芸〉風の文体を書いてみるという意味では、有益だろう。一種の文体練習として取り組むのも効果的だ。また、時制や相のことは横に置いて、単純に〈今〉や〈かつて〉の切り替えがわかるように意識して執筆するだけでもじゅうぶん練習になる］

論評では：時間の移動が自然か、それともぎこちないか、検討すること。選んだ時制が題材とうまくかみ合っているか？　どちらの代名詞、どちらの時制、どの時制の組み合わせが、その物語をいちばんうまく機能させているか？　二作品のあいだに大きな違いはあるか、もしあるならどの点か？

執筆後の反省と話し合いでは：自分は過去時制・現在時制のどちらで書くのが楽だったか？　一人称・三人称では？　その理由は？

どの人称や時制を用いているのか、（おそらく）なぜ作者はそれを用いているのか、どう上手く用いているのか、どんな効果があるのか、語りの時制を切り替えているかどうか、しているならどれくらいの頻度か、なぜなのか、等々を特に意識しながら語りの文章を読んでみるのは、結構役に立つ。

第7章

視点（POV）と語りの声（ヴォイス）

Point of View and Voice

わたしの目の前で、男は自らの記憶の迷子となった、
さながら船影の映る水面を漂う一艘の船のように。

I saw that he was lost in his memories,
like a boat that drifts on its own reflection.

〈視点〉（ＰＯＶ（ポイント・オヴ・ヴュー））とは、〈物語の語り手およびその語り手と物語との関係性〉を示す専門用語である。

この語り手が物語内の登場人物の場合は、〈視点人物〉と呼ばれる。それ以外に視点たりえるとすれば、作者自身にほかならない。

〈声（ヴォイス）〉とは、語り（ナラティヴ）を論じる際に批評家がよく用いる語だ。書かれたものは音読されるまで声がないものだから、この表現はどんなときも比喩である。〈声〉という用語は、語り手の真正性（オーセンティシティ）を手短に伝えるものとしてもよく使われている（すなわち自分自身の声で綴ること、その人物の本当の声をつかむこと等々を示す）。わたしはこの言葉を素直に実用面から、〈物語を聞かせる単数または複数の声〉つまり語りの声という意で用いている。本章では声と視点のふたつを、同列に考えられるくらい密に絡み合い互いに左右されるものとして扱うつもりだ。

主な視点の一覧

以下でわたしが試みるのは、主に五種ある語りの視点の定義と解説の一覧である。各解説のあとに、そのＰＯＶで「セフリード姫」なる架空の物語を一段落ぶん綴り、実作を示す。同じ情景、同じ人々、同じ出来事を毎回扱う。視点が切り替わるだけだ。

〈信頼できる語り手〉とは

自伝や回顧録（各種ノンフィクションの語り）では、（実際に書き手が用いるにせよ用いないにせよ）〈わたし〉が作者である。この形式の場合、ふつう作者ないし語り手が信頼できる者であると想定される。起こったと思われることを正直に読者に語ろうとしている者、つまりでっち上げずに物語る者であると。

事実を正直に物語ることは計り知れないほど難しいが、昨今そのことが事実を正直に物語らないという選択を正当化するために用いられている。ノンフィクション作家のなかには、でっち上げという創作の特権が自分にもあるとして、あえて事実をねじ曲げ、単なる出来事を超えた〈真実〉を提示しようとする者もある。しかし個人的に尊敬している回顧録やノンフィクションの書き手たちは、徹底して事実に基づくことが不可能であることをしっかり自覚した上で、天の使（つかい）と力比べするヤコブのように、その点を真摯に取り組んでいる。けっしてウソをつく言い訳にはしない。

創作では、自伝風の告白文体であったとしても、作り物である以上その語り手は仮構のものだ。それでも、非娯楽作品（シリアス・フィクション）における語り手は、かつては一人称でも三人称でもほとんどが信頼できる存在だった。ところが、この移り変わりの早い今日では、（わざとであれ何気なくであれ）事実を誤ったかたちで提示する〈信頼できない語り手〉が好まれている。

昨今そうなっているのは、不正直なノンフィクション作家とはまた違う動機あってのことだ。事実の隠匿や歪曲をしたり、出来事の語りや解釈で過ちを犯したりする創作作品の語り手は、たいていの場合、自分のこと（やおそらく読者のこと）を語ろうとしてしまっている。そもそも作者というのは、起こったことだけを読者に見せたり推測させたりするものである。そして読者はその手がかりをもとにすることで、他者の持つ世界観や、他者（やわたしたち？）の世界観の土台にあるものがわかってくる。

また半分だけ信頼できる語り手なるものもあり、その身近な例としてハック・フィン（六六ページ、実例七参照）が挙げられる。ハックは正直者だが、自分に見えたものをあれこれかなり誤解している。たとえば、ジムは親愛と敬意をもってハックに遇するその世界でただひとりの大人だが、そのことが当人にはわかっていないし、自分がジムを敬愛かつ尊重していることも本当に自覚がない。そしてハックがそのことを理解できないという事実こそが、彼とジム（そしてわたしたち）の生きている世界についての、おぞましい真実を物語るものとなる。

セフリード姫は、これから示す本人の語りとそのほかの視点人物の語りを比べてもわかる通り、まったく信頼できる語り手だ。

一人称

一人称の語りでは、〈わたし〉が視点人物となる。〈わたし〉は物語を声にするとともに、そこに中心人物として関わっている。語られるのは、〈わたし〉の知ること、感じること、わかること、思うこと、考えること、期待すること、思い出せることなどだけだ。そして読者ができるのは、その〈わたし〉の見聞きするものや話す内容のみを手がかりに、他者の感覚やその人となりを推測することである。［日本語ではもちろん〈わたし〉以外にも各種の一人称代名詞が利用可能］

「セフリード姫」――一人称の語り

わたしは、その見知らぬ人ばかりの部屋に入るなり、居心地悪く心細い気持ちでいっぱいで、きびすを返して駆け出したかったが、ラッサがすぐ後ろに控えていたから、前へ進むしかなかった。おおぜいがわたしに話しかけ、ラッサにわたしの名前を訊いた。わけのわからぬまま、わたしはひとりひとりの顔の区別もつかず、その人たちが話しかけてくることも理解できなくて、もうでたらめに返事をした。ほんの一瞬、おおぜいのなかからある人の視線を感じると、ひとりの女性がこちらをまっすぐに見ていて、その瞳には優しさが宿っていたから、その人のところへ行きたくてたまらなかった。彼女なら、話しかけてもいい人に思えた。

三人称限定視点

ここでの視点人物は、〈彼〉または〈彼女〉となる［同前］。その〈男〉なり〈女〉なりが物語を聞かせるとともに、そこに中心人物として関わっている。語られるのは、視点人物の知ること、感じること、わかること、思うこと、考えること、期待すること、思い出せることなどだけだ。そして読者ができるのは、他者の振るまいに対するその視点人物の観察内容のみを手がかりに、他者の感覚やその人となりを推測することである。こうしてひとりの人物の知覚に限定することが本全体で続くこともあれば、語りがある視点人物から別の人物へ移り変わることもある。その移り変わりの際には何らかのかたちで合図があるのがふつうで、ごく短い間隔で次々切り替わることは通常ない。

　取り組む姿勢としては、三人称限定は一人称と一致する。制限の性質がまさしく同じだからだ。つまるところ、語り手に見えること、わかること、話せること以外には、何も見えず、わからず、語られもしないのである。その制限が声に集約され、語り手として真正性（それらしさ）が出てくる。

　語りを一人称から三人称限定に切り替えるには、ただコンピュータに代名詞を置換させて、全体で動詞の語尾を正しく修正させればよし、と思われているふしがある。ところが事はそう簡単でない。一人称は、三人称限定とは別の声だ。読者とその声との関係性が異なっている――それは作者とその声との関係が異なっているからである。〈わたし〉であることは、〈彼〉や〈彼女〉であることと同じではない。結局のところ、書き手と読者の両方に求められる想像力がかなり変わってくるのだ。

ついでながら、三人称限定の語り手が信頼できるという保証はない。
また意識の流れ*は、特に三人称限定視点の内面を描いた形式である。

「セフリード姫」——三人称限定視点

セフリードは、その見知らぬ人ばかりの部屋に入った途端、自分ひとりが注目の的になっていることに気づいた。きびすを返して駆け足で部屋に下がりたくとも、ラッサがすぐ後ろに控えていたため、前へ進むほかなかった。人々が彼女に話しかけた。ラッサにその名前を訊ねた。事態ののみ込めない少女は、ひとりひとりの顔の区別もつかず、人々の話しかける内容も理解できなかった。生返事ばかりだった。一度だけ、ほんの一瞬、ある女がおおぜいを挟んでまっすぐに少女を見つめてきたが、視線が鋭くも優しかったため、セフリードはつい向こうへ行って話しかけたくなった。

潜入型の作者〈全知の作者〉

この場合の物語は、誰か特定の登場人物ひとりの内面から聞かされることはない。

視点になりえる人物が数多くいるので、語りの声はいつでも切り替え可能で、物語内の登場人物のあいだや、作者だけに生み出せる視野・知覚・分析にも移っていける（たとえば、その場にひとりきりの人物の様子を描写したり、そこに見る人がいない瞬間でも景色や部屋を描写したりできるわけだ）。書き手は、誰かの考えていることや感じていることを読者に伝えることもあれば、読者に対して振るまいを説明することもあり、登場人物に対する判断を下すことさえある。

これは物語作家にとっておなじみの声である。物語る者は、登場人物たちがある一時にいるさまざまな場所全部の進行状況を把握している上に、登場人物の内面の動きも、これまでの出来事も、これから起こるはずのこともわかっているからだ。

あらゆる神話・伝説・民話、いかなる幼児の作り話、一九一五年前後までの創作ほぼ全部、そしてそれ以後の大多数の創作で、この声が用いられている。

言い古された〈全知の作者〉という用語は、決めつけであてこするようにも聞こえるので、個人的には趣味でない。〈潜入型の作者〉のほうが好みだ。〈作者の語り〉も中立の用語として今後使うことがある。

三人称限定視点は、現代の創作で主に用いられている声だ——英国ヴィクトリア朝に潜入型の語りが好まれたこと、そしておそらくたくさん乱用されたことに対する反動でもある。
潜入型の作者は、視点操作が最も目に見えてあからさまだ。とはいえ、物語全体を把握してその大事なところだけを語りつつ、あらゆる登場人物に深く潜入するこの語り手の声は、単なる時代遅れや野暮で片付けられないところがある。この声は、最も広く用いられた最古の語りであるばかりか、いちばん万能かつ柔軟で複雑な視点でもあるのだ――おそらくそれだけに、書き手にとっても一等難しい。

「セフリード姫」――潜入型の作者〈全知の作者〉

そのツファール人の娘は、戸惑いながらも部屋へ入った。脇を締めて背を丸めるその少女は、おびえて心もからっぽのようで、さながら囚われた野生動物だった。大柄なヘム人が所有者然と彼女の到来を知らせ、〈セフリード姫〉つまり〈ツファールの姫君〉であると満足げに紹介した。群衆が詰めかけて、彼女に会いたがったり、ただその顔を見たがったりした。彼女は我慢をしてほとんど顔も上げずに、相手のむなしい言葉に消え入りそうな声で手短な返事をした。おおぜいが押し寄せておしゃべりをしてくるなか、彼女は少し距離を取って、自分ひとりの空間を確保した。誰も彼女に触らなかった。一同には彼女を避けている自覚がなかったが、彼女は気づいていた。その疎外感から彼女は顔を上げると、好奇心ではなく同情するようなまじめな視線と目が合った――見知らぬ人の海を抜けて、彼女に語りかけてくる顔だった。「わたしはあなたの友だ」と。

遠隔型の作者〈〈壁にとまったハエ〉〈カメラアイ〉〈客観視の語り手〉〉

この場合は視点人物がいない。語り手は登場人物のひとりではなく、まったく中立の観察者が（壁にとまった知性あるハエのように）登場人物について振るまいや発言から推測できることのみを話すだけだ。作者は登場人物の心中にも立ち入らない。人々と場所は正確に描写してよいが、価値や判断は間接的にほのめかすことしかできない。一九〇〇年前後および〈ミニマリズム文学〉や〈Kマート・リアリズム〉などでよく用いられた声で、視点操作をできるだけ控えめに、どこまでもひそかに行う。

読者と共依存したがる作家には、この声は抜群の勉強になる。執筆を始めたばかりのときは、自分が書いているものに対して、読者も自分と同じように反応してほしいと思ったりするものだ――自分には泣けるのだから読者にも泣いてほしい、と。しかし、読者とのそういう関係性は、およそ作家らしくなく、子どもじみている。この落ち着いた声を使いながらも読者の心を動かせたのなら、本当に心を動かしてゆけるものが作れたことになる。

「セフリード姫」――遠隔型の作者（〈壁にとまったハエ〉〈カメラアイ〉〈客観視の語り手〉）

そのツファール出身の姫君が部屋へ入ると、すぐ後からヘム人の大男もついてきた。彼女は脇を締めて背を丸めながら大股で歩いていた。その髪はこんもりとした縮れ毛だった。立ち尽くす彼女のそばで、そのヘム人が少女を紹介し、ツファールのセフリード姫だと呼んだ。彼女は誰とも目を合わさなかった――周囲に詰めかけ、まじまじと見つめて問いかけてくる人々の誰とも。その誰もが彼女に触れようとしなかった。かけられるどの言葉にも、彼女は手短に返事をした。その少女と、食卓のそばにいた年長の女性がごく一瞬、視線を交わした。

傍観の語り手（一人称使用）

この場合の語り手は、登場人物のひとりでありながら、主要人物ではない――立ち会いはするが、出来事の主な関係者ではないわけだ。一人称の語り手との違いは、それが語り手にまつわる物語ではないことである。語り手が目撃して読者に伝えようとする物語なのだ。創作とノンフィクションの両方で、この声は用いられる。

「セフリード姫」――傍観の語り手（一人称使用）

その少女が身につけていたのはツファールの装束、長らくお目にかかったことのない重厚な赤の衣だった。その髪は雷雲のようにふくらみ、そのなかに浅黒い小顔があった。その所有者であるヘム人のラッサという奴隷主に、群衆の前へと押し出されていた彼女は、背を丸めて身構えていて小さく見えたが、自らのまわりに自分だけの空間をしっかりと確保していた。その少女は国を離れた囚われ人だったが、その幼い顔に、あの民族特有の好ましい誇りと優しさが見えたものだから、わたしは彼女と話がしたくてたまらなかった。

傍観の語り手（三人称使用）

この視点は、創作に限ったものだ。取り組む姿勢としては、ひとつ前のものとほぼ同じである。視点人物が、その出来事を目撃している三人称限定の語り手となる。

語り手となる登場人物が傍観していて主人公ではないという見せ方そのものが、そもそも信頼できない点をややこしくわかりづらくしているため、読者はふつう無難に考えて、この視点人物は（一人称でも三人称でも）それなりに信頼できるか、少なくとも何かを隠したりはしないだろうと思ってしまうわけだ。

「セフリード姫」――傍観の語り手（三人称使用）

その少女が身につけていたのはツファールの装束で、アンナも十五年はお目にかかったことのない重厚な赤の衣だった。その所有者であるヘム人のラッサという奴隷主に、群衆の前へと押し出されていた姫君は、背を丸めて身構えていて小さく見えたが、自らのまわりに自分だけの空間をしっかりと確保していた。その少女は国を離れた囚われ人だったが、その幼い顔に、あのツファール人特有の好ましい誇りと優しさを見いだしたアンナは、彼女と話がしたいという気持ちを募らせるのだった。

アンソロジーに収録されている物語を一気に調べたり、本棚から長篇小説を（できるだけ時代の幅を広くした上で）ごっそり抜き出したりなどして、視点人物や語りの視点をひとつずつ確認してみよう。視点人物の切り替えがあるかどうか、もしあるならどれくらいの頻度か注目すること。

考察：視点の切り替えについて

ここで紙幅を割いて一考するのは、ワークショップで書かれた物語（と刊行された書籍）で本当によく出くわす語りの問題点が、まさにPOVの操作にあるからだ。特に不安定なPOVと、頻繁なPOVの切り替えはよく懸案となる。

これは作者が読者に、ジェインおばさんの考えていることや金属のハトメ［環］を誤飲したがるフレッドおじさんの動機などを語り始めた場合には、ノンフィクションでも起こる問題だ。回顧録や日記を書いているなら、ジェインおばさんの思考やフレッドおじさんの動機が既知の事実ではなく、作者の推測・意見・解釈に過ぎないことをはっきりと示さない限り、その点を語る正当性などないのだ。日誌や回顧録の書き手は、ほんの一瞬でさえも全知たりえない。

創作では、ＰＯＶが不安定だと問題が頻発してしまう。意識して手をかけて操作しないと、頻繁にＰＯＶが移り変わるせいで読者は落ち着かず、相反する人物像がやたら出入りし、感情もない交ぜになり、物語も混線するばかりだ。

先述した五種類のＰＯＶのあいだを切り替えるのもまた危うい。一人称から三人称へ、または潜入型の作者から傍観の語り手へという変化は、声（ヴォイス）の大転換である。そのような切り替えは、自分の語り全体のトーンや構造にも影響を及ぼしかねない。

三人称限定視点のあいだ（登場人物間）の移り変わりにも、同等の自覚と注意が必要だ。視点人物の切り替えにあたっては必ず、書き手に自覚と理由、そしてそれを制御する力がなくてはならない。

この右の二段落ぶんのことは何度でも書きたい気分だが、それではぶしつけというものだろう。よければ繰り返し読んでほしい。

ＰＯＶの練習問題は、自分がどのようなＰＯＶを用いているか、いつどのように切り替えるかについて、一時的に意識を高めた上で、その意識をずっと維持できるようにするのがねらいだ。

三人称限定視点は現在、創作の書き手の大半がもっぱら使い慣れている視点人物である。そしてもちろん一人称は、回顧録や日記の書き手が主として用いる声だ。そのほかあらゆる選択肢を誰しも試みておくのが、妙案だと思われる。

創作の書き手なら、他者の声での執筆にも、他者になりきることにも慣れている。とはいえ日記や日誌を書く者はそうでない。事実に基づく語りで三人称限定視点を用いるのは不法侵入であり、実在の他者の思考や感覚がわかっているかのようなふりをすることになる。だが、自らの考え出した何者かの思考や感覚であれば、わかったふりをしても問題はない。そこで練習として、日ごろ日記を書く人には今回、創作の書き手のやり方でもって、恥を捨てて物語をでっち上げ、登場人物を作り上げてもらおうと思う。

〈練習問題⑦〉視点（POV）

四〇〇〜七〇〇文字の短い語りになりそうな状況を思い描くこと。何でも好きなものでいいが、〈複数の人物が何かをしている〉ことが必要だ（複数というのは三人以上であり、四人以上だと便利である）。出来事は必ずしも大事（おおごと）でなくてよい（別にそうしても構わない）。ただし、スーパーマーケットでカートが

ぶつかるだけにしても、机を囲んで家族の役割分担について口げんかが起こるにしても、ささいな街中のアクシデントにしても、何かしらが起こる必要がある。

今回のPOV用練習問題では、会話文をほとんど（あるいはまったく）使わないようにすること。登場人物が話していると、その会話でPOVが裏に隠れてしまい、練習問題のねらいである声の掘り下げができなくなってしまう。

問一：ふたつの声

①単独のPOVでその短い物語を語ること。視点人物は出来事の関係者で――老人、子ども、ネコ、何でもいい。三人称限定視点を用いよう。

②別の関係者ひとりのPOVで、その物語を語り直すこと。用いるのは再び、三人称限定視点だ。

ここまでに使っていた短い情景・状況・物語がもう出涸らしになってしまったというなら、次の練習問題に進むにあたって、同じ方向性で別のものをこしらえてもいい。

だが元々のものを掘り下げて、まだほかの声で語れる余地がありそうなら、そのまま最後まで探り続けよう。そうすれば、練習問題に取り組む際の利便性や教育効果がいちばん高くなる。

問二：遠隔型の語り手

遠隔型の語り手、〈壁にとまったハエ〉のＰＯＶを用いて、同じ物語を綴ること。

問三：傍観の語り手

元のものに、そこにいながら関係者ではない、単なる傍観者・見物人になる登場人物がいない場合は、ここでそうした登場人物を追加してもいい。その人物の声で、一人称か三人称を用い、同じ物語を綴ること。

問四：潜入型の作者

潜入型の作者のＰＯＶを用いて、同じ物語か新しい物語を綴ること。

問四では、全体を二〜三ページ（二〇〇〇文字ほど）に引き延ばす必要が出てくるかもしれない。文脈を作って、引き延ばせるものを見つけ、そのあとを続けないといけなくなる場合もあるだろう。遠隔型の作者は最小限の量に抑えられても、潜入型の作者には、なかを動き回るだけの時間と空間がかなり必要になってくる。

元の物語のままではその声に不向きである場合、感情面・道徳面でも入り込める語りたい物語を見つけることだ。事実に基づいた真実でなければならない、ということではない（事実なら、わざわざ自伝の様式から出た上で、仮構の様式である潜入型作者の声に入り込むことになってしまう）。また、自分の物語を用いて、くどくどと語れということでもない。真意としては、自分の惹かれるものについての物語であるべきだ、ということである。

付記：語られぬ考え

登場人物の語られぬ考えの示し方について、頭を悩ませる書き手は多い。悩んだままでいると、編集者は勝手に思考部分を斜体(イタリック)にしがちだ。［日本語書籍では傍点や約物・括弧の場合も］

直接に示すなら、思考も会話文とまったく同じように扱える。

「ありゃま」と思うジェインおばさん、「あのハトメを食べちまったか！」

とはいえ登場人物の思考を示す際には、別に引用符を使わずともよい。それでいて斜体なり約物なりを使うと、そこが強調されすぎてしまうこともある。ただその一節が誰かの心中・脳内にあることを、はっきりさせればいいだけだ。やり方にはさまざまある。

ジムの叫び声を耳にするなり、ジェインおばさんは、結局フレッドはハトメを飲み込んでしまったのだと悟った。

わかっている、どうせあの人はまたあのハトメを飲み込むのだ、とジェインはボタンを選り分けながらひとり考えた。

ジェインは思う――まあ、いっそあのバカじじいが早々にあのハトメを飲み込んでくれればよいものを！

論評では：ＰＯＶの練習結果を評価し、そのあと検討と話し合いを行うわけだが、特定の声と視点についてさまざま好みが強く表れてくることがあって、その吟味と議論が面白くなったりもする。

後日：またこの練習問題に立ち返って、別の物語に今回のやり方を（もしかするといくつか組み合わせながら）用いたくなるかもしれない。ＰＯＶ、つまりある人物が自分の物語を聞かせる際の声の選択は、物語のトーンや効果、そしてその意味でさえも大きく左右するものだ。話したい物語を綴っているのに〈行き詰まって〉、正しい語り手が見つかるまでうまく進められない、と気づくことが書き手にはよくある――選ぶべきは一人称か三人称か、潜入型の作者か三人称限定の語り手か、動きのある出来事の当事者か見物人か、単独の語り手か複数の語り手か。次の追加問題では、選択肢の多さとその選択の必要性が見えてくるはずだ。

〈練習問題⑦〉追加問題

問一について、三人称限定ではなく一人称で、別の物語を声にしてみよう。

もしくは、事件や事故の物語を二回語ってみること。一回目は遠隔型の作者か取材・報道風の声、二回目は事件・事故の当事者の視点から。
あまり好みではない様式や声があって、その苦手な理由を見つけたい気持ちが少しでもあるなら、おそらく再度それに取り組んだほうがいい（ちょっと食べてみたらタピオカが好きになることもあったりするのだから、ね）。

全知の語りは時代遅れで、物語全体を知ると自任する語り手に抵抗のある読者もいるわけなので、ここで潜入型作者のPOVについて実例数点を示しておくのも有益だろう。

実例十一

次のふたつはヴィクトリア朝のもので、恥ずかしげもなく語り手が過剰なほど全力でのめり込んでいる。この『アンクル・トムの小屋』の一節は、自分の子が売られると知った奴隷イライザが走っている描写である。

ハリエット・ビーチャー・ストウ『アンクル・トムの小屋』より

霜の降りた地面が足下できしみ、彼女はその音にふるえた。葉が揺れて影がちらつくたびに、血が彼女の心臓に逆流して、その歩みも速くなる。自分の内から力がわいてくるように思えて、びっくりしていた。自分の息子の重さが羽根一枚しかないように感じられたからで、恐怖にふるえるたび、ふしぎな力がわき上がって、自分を支え続けてくれるかのようだった。それでも青ざめた唇からついて出るのは、幾度も吐き出されるのは、天上の大いなる友への祈りだ――「主よ、お力添えを！　主よ、われに救いを！」

もしお母さん、あなたのハリーやウィリーがあくる朝、人とは思えぬ奴隷商人の手で自分から引き裂かれるとなったら――もし相手が顔見知りで、さらに書類はもうサイン済みで送付済みだとあなたの耳に入ってきて、しかも逃亡には零時から朝までのわずかな時間しか残されていないしたら――あなたはどれだけ速く歩けるか？　どれだけの距離を、愛し子を胸に抱えながら、その数時間で進めるか？――眠るそのちっちゃな頭を肩にもたれさせながら――身を預けるようにその小さくやわらかい腕を首に回させながら！

こうしたシーンの迫力はもちろん積み重ねによるものだが、この部分だけでも、読者の心を震撼させる作者の不意打ちの技がわかると個人的には思う――「この素早い歩調が自分にも出せるだろうか？」

実例十二

実例十二は、ディケンズ『荒涼館』〔邦訳：佐々木徹訳（岩波書店）など〕冒頭三章のそれぞれ最初の一ページぶんである。第一章と第二章は、潜入型作者の声で現在時制。第三章は一人称で過去時制、語り手はエスター・サマーソンという登場人物だ。作品全体で章ごとにこうした切り替えがある――あとで追加解説するが、独特な切り替えになっている。

チャールズ・ディケンズ『荒涼館』より

第一章　大法官裁判所にて

ロンドン。ミクルマス開廷期は先頃終了、大法官殿もリンカン法学院内に出廷。容赦ない十一月の天候。街中は泥まみれ、まるで洪水が地上から退いたばかりのよう、体長およそ四十フィートのメガロサウルスがホーボーン・ヒルを巨大トカゲのごとくのしのしと登るのと相まみえてもおかしくはない。煙突からおりる煤は、湿り気のある黒い霧雨となり、煤を含んだその粒は、ざらめ雪ほどの大きさで——喪中として太陽の死を悼んでいるかのようにも思える。汚泥と見まごうばかりの犬。馬も大差なく、遮眼帯まで泥が跳ね上がっている。歩行者も、互いの傘がぶつかり、不機嫌が広く伝染して、街角で足下がおろそかになり、夜明け以後（この空では夜が明けたかさだかではないが）、何万人もの通行人が足を滑らせ転倒してしまっているし、泥のかたまりの上にまた泥を重ねるので、舗道にこびりついて、複利のようにふくれあがっている。

どこもかもが霧。テムズの川上、緑の中州や草地の流れにまで霧、川下の船の並ぶ水流地帯、大（汚）都会の水辺の汚染地域にも霧。

エセックスの湖沼にも霧、ケントの丘にも霧。石炭船団の炊事場にも入り込む霧、大型船の帆桁に横たわったり索具のあたりをうろついたりする霧、はしけ船や小型船の船縁に垂れかかる霧。グリニッジ海軍病院の病室の炉辺にいる退役兵の目やのどに入り込んで咳き込ませる霧、機嫌の悪い船長が狭苦しい船室でふかす午後のパイプの柄や火皿に忍び込む霧、甲板で震える見習い少年のつま先と指先を無残にもつねる霧。たまたま橋を通りがかって欄干（らんかん）から下に広がる霧を人々は、周囲に立ちこめる霧も相まって、気球に乗って霧の雲海を漂っているかのよう。

　ガス灯が霧のなか、街路のあちこちでぼんやり見えており、まるで農夫や小僧が水気の多い畑から見るぼんやりした太陽のようだ。大半の店が普段の二時間前に点灯し――ガス灯もそれに気づいてか、げっそりと気乗りしない表情である。じめじめと寒いこの午後で最も寒く、濃い霧もいっとう濃く、泥だらけの街路がいちばん泥にまみれているのが、昔から変わらぬ石頭の邪魔者、つまり昔から変わらぬ石頭の自治体の添え物としてぴったりの、テンプル門の付近だ。そしてそのテンプル門のすぐそば、リンカン法学院内、まさしく霧の中心に座するのが大法官閣下である。

　第二章　社交界にて

レディ・デッドロックなるこの貴婦人は、パリ出立に先立つ数日間、ロンドンの邸宅に戻ってきていて、パリには数週間の滞在予定だが、その後の動静は未定である。社交界の情報通がそう言うと、パリっ子も安心であり、情報通は社交界のことなら何でも承知である。それ以外のことを知ると、社交界の人ならず、というわけだ。この貴婦人は、うちとけた会話の際には〈地所〉と呼んでいる、リンカーンシャーの屋敷にも引きこもりがちである。そのリンカーンシャーは今、水害のただなかだ。敷地内の橋のアーチは土台がやられて、流されてしまっている。隣接する低地も、幅半マイルの濁った川となってしまい、そのなかで沈んだ木々が島となり、川面は降り続く雨で一面穴だらけだ。この貴婦人の〈地所〉はきわめてものわびしいことになっている。幾昼夜も雨模様が続いたために、木々もずぶ濡れの様子で、木こりの斧に切られた枝や幹もやわらかく落ちたところでドスンともバキッとも音がしない。鹿（シカ）も濡れそぼっていて、通ったあとに泥だまりが残る。

　猟銃を撃っても、湿った大気のために鋭い銃声はせず、その硝煙もちろちろと小さな雲となって、降り続く雨の背景と化している雑木林の生えた緑の丘のほうへと向かう。この貴婦人の部屋の窓から見える景色も、鉛色と墨色が交互に現れるといった具合だ。前庭にある石造りのテラスに置かれた壺も、終日の雨を受けていて、そこから重い雨だれがびちゃん、びちゃん、びちゃんと、長年〈幽霊の小径（こみち）〉と呼ばれてきた幅広の石だだみに、夜通し落ちている。日曜には、敷地内にある小さな聖堂も黴（かび）くさくなり、樫（かし）材の説教壇からは冷たい露がにじみ出し、代々の墓に入るデッドロック家の祖先のものとも思えるにおいや空気が満ちている。このレディ・デッドロックは（子どもがおらず）、朝の薄明かりのなか、私室から番人小屋を見やると、格子窓のガラス越しに火がつくのが目に入って、やがて煙突から煙がのぼり、女に追いかけられながら子どもがひとり雨のなかに飛び出して、門からやってくる合羽姿のしずくの光る男を出迎えるのだが、貴婦人はまったく不機嫌になってしまう。レディ・デッドロックは「死ぬほど退屈」と口にするのだ。

　そういうことで、この貴婦人はリンカーンシャーの地所を去るのであって、雨と鴉（からす）と兎（うさぎ）と鹿と鶉（うずら）と雉（きじ）とに万事あとを任せてある。デッドロック家代々の肖像画はもう根も尽き果てたと、湿った壁に消え入りそうで、そのさなか屋敷の管理人が長年使われた部屋を次々と回って、鎧戸（よろいど）を閉めていく。いつ一同がまた現れ出るのか、それは社交界の情報通にも（悪魔と同じく過去と現在はお見通しでも未来はそうでないから）まだ何とも言えない。

サー・レスター・デッドロックはたかが準男爵ふぜいながら、この人物ほど力のある準男爵はいない。その家柄は本邦の地形と同じくらい古く、その地形を越えてはるかに立派である。地形がなくとも世は成り立つが、デッドロック家なくては形無しになるというのが彼の持論である。〈自然〉なるものも考え方としてはよいとおおむね認めるものの（敷地の柵で囲われていないものはどうにもやや落ちるが）、地方の有力な家柄が実行して初めて様になるものだという。彼は善悪の別にきびしい紳士であり、あらゆる狭量・卑小をさげすみ、おのれの高潔さに少しでも傷がつくくらいなら、その場で命じられるままに死んでみせる覚悟があるくらいだ。この人物は名誉を重んじるとともに、頑固実直で気概があるが、それでいて偏見が強く、まったく道理の通らない男なのである。

第三章　経緯

たいへん困ったことに、この本の自分の割り当て部分を書き始めないといけない――わたしはお利口ではないのに。ずっと自覚のあったことだ。そういえば、ちっちゃな女の子だったころ、自分のお人形とふたりきりになると、よく話しかけていたっけ。「ねえ、ドリー、わたしお利口でないこと、わかるよね、がまんしてね、いい子だから！」そんなふうにお人形を大きなひじかけ椅子にちょこんともたれさせると、きれいな顔とバラ色のくちびるでこちらを見つめてきて――いいえ、どちらかというとたぶん、うわの空で――わたしは何かいそいそとお裁(さい)縫(ほう)でもしながら、自分のひみつを何でもお話ししていたなあ。

　幼なじみのあのお人形！　はにかみ屋の子どもだった自分は、誰にも口を開く勇気がなく、ましてや心を開く気になんてなれなかった。思い出すと泣きそうになるけれど、お昼に学校から帰ってくると、そのまま自分の部屋にかけ上がって、「大好きだよ、わたしを裏切らないドリー、待っててくれるってわかってた！」なんて言うといつもほっとして、それから床に座りこんで、その大きすぎる椅子のひじにもたれかかりながら、離ればなれになってから気づいたことをみんな話したりして。常日頃、わたしは物事によく気がつくほうで――いえ、さといわけではなくて――自分の前で起こっていく物事に気がつくと、じっくりよおく考えていくのが合っているというか。けっして理解が早いわけではなく。でも自分が心底、あるひとを愛しているときには、ぱっとする気がして。

　でも、それもわたしの思い上がりなのかも。

　わたしを育ててくれたのは、少なくとも物心ついてからは――何だかおとぎ話のお姫さまみたいだけど、別に自分はすてきではないし――ともあれ、名付け親の乳母（うば）だった。あのひとのことでわかるのは、せいぜいそのくらい。いいひとで、善良で！　日曜になると三度は教会へおもむいて、水曜と金曜は朝の礼拝、お講話があるといつも出向いて、欠かさずだった。端正なお顔のひとで、ほほえんだならきっと（ってよく思っていたのは）天使みたいだろうって――でも、にこりともしなかった。いつだってまじめで、堅いひとで。根が善良すぎて、たぶん、他人が至らないからって、一生しかめっ面だったのかな。自分とあのひとではあまりに落差が感じられて、子どもと大人の女性っていう差を考えてもやっぱり。自分はあわれで無価値で、つまはじき者。だから、あのひとのそばでは自然体でいられることはなくて――いいえ、そうしたかったのに、あのひとを愛せなくて。そうしようとしても、あのひとはあんなに善人なのに、自分ではつり合わないと思い知らされて、情けなくなって。自分の心根がもっとよければと、しみじみ思ったものだった。幼なじみのお人形にもよくそのことを話したのだけれど、とうとうわたしは、その乳母のことを愛せなくて、愛すべきだったのに――いいえ、きっと愛することはできたはずなのに、わたしがそこまでいい子ではなかったから。

実例十三

実例十三は『指輪物語』〔邦訳：瀬田貞二・田中明子訳（評論社）〕の一節だが、通りすがりのキツネのPOVにも入り込めるという、潜入型作者の幅広さがうかがえる魅力的な部分だ。キツネは「それ以上何も探り出せなかった」し、わたしたちもキツネのことはそれ以上何も探り出せない。それでいて、その場にいたキツネは、その一瞬には生き生きと注意深く、大冒険のそのおぼろげな始まりをしっかり見守っているのだ。

J・R・R・トールキン『指輪物語』より

「もう眠くてさ」と言い出すピピン。「今にも道に倒れそうだよ。おふたりさん、歩きながら眠るつもり？　じきに真夜中だぜ」

「暗がりを歩くのが好きじゃなかったのか」と言うのはフロドだ。「まあ別に急いじゃいない。メリーもぼくらが明後日くらいに着くものと思ってる。でもそれだとまだ二日近く余裕がある。次によさそうなところがあったら休むとしよう」

「風向きは西です」とサムが言う。「この丘の向こう側に出れば、雨風しのげてちゃんと心地よいところが見つかるはずです。この先にはモミの乾燥林があります、記憶通りなら」ホビットンの周囲二十哩(マイル)以内の土地を熟知しているのがサムだったが、それが土地勘の限界でもあった。

ちょうど丘の頂を越えたところで、モミの林に行き会った。そこで道を逸れて、樹脂の香る木々の深い闇へと入り込み、枯れ枝や松ぼっくりを集めて火をつけた。たちまち大きなモミの木の下で、火が気持ちよくパチパチといい出したので、一同はしばらくその焚き火を囲んでいたが、とうとうとうとしてきた。そこで、その大木の根の隙間にそれぞれ入って、自分のケープと毛布にくるまると、すぐに寝入ってしまった。見張り番はなし。まだホビット庄の内地であったから、フロドもそこまで警戒していなかった。数匹の生きものが近づいてのぞいてきたが、その頃には火も消えていた。一匹のキツネが所用で林を通りがかり、何分か立ち止まって、においをかいだ。

「ホビットか！」とキツネは考えた。「ふむ、次は何がある。この土地の妙なうわさは耳にしていたが、ホビットが野外の木の下で眠るとは、めったにない話だぞ。三人連れか！　この裏にはすごぶるあやしげなことがあるな」このキツネはご名答だが、それ以上何も探り出せなかった。

実例八（六九ページ）に戻って、『灯台へ』の「時はゆく」の部分を参照し、潜入型作者の動きを確認してみよう。本人の知覚と登場人物の視点の行き来をすらりとやってのけるので、ＰＯＶが互いに溶け合い、〈世界の美を語る声〉でありながら作品自体（自ら語る物語）の声でもある声へと入っていく。この先で論じることになる、この種の目印なしの素早い切り替えは稀で、確かな見通しと技術が大いに必要となってくる。

読書案内

潜入型作者または〈全知の〉作者については、大作ゆえに今さら他人様に言うのも恥ずかしいが、トルストイ『戦争と平和』〔邦訳：望月哲男訳（光文社）など〕をぜひ読んでほしい。しかし驚くべき本だ。技術面から見ても、作者の声から登場人物の視点へさりげなく切り替わるさまは、奇蹟にも近い。男や女、ましてや猟犬の内面の声に入ってまったく平易に語りながらも、また作者の思考へと戻っていって……その結果、読者はいくつもの生涯を生きてきたような気持ちになる。それは小説の与えうる最高の贈り物だろう。

遠隔型の語り手または〈壁にとまったハエ〉なら、レイモンド・カーヴァーなど自称〈ミニマリスト〉の書き手が、このテクニックのいい見本になる作品を書いている。

傍観の語り手の場合、ヘンリー・ジェイムズとウィラ・キャザーのふたりがこの手法を頻繁に用いている。ジェイムズはその傍観の語り手に三人称限定視点を使い、作品全体と距離を取っている。キャザーは、『マイ・アントーニア』［邦訳：佐藤宏子訳（みすず書房）］や『迷える夫人』［邦訳：桝田隆宏訳（大阪教育図書）など］で顕著だが、男性の目撃する語り手を一人称で使っている。女性の作家が男性の仮面を通して語る理由を考察するのも興味深い。

信頼できない語り手では、ヘンリー・ジェイムズ『ねじの回転』［邦訳：小川高義訳（新潮社）など］が模範となる古典だ。家庭教師の女が語るすべてを鵜呑みにしてはいけないし、彼女の発言を検討した上で彼女が言わなかったことを探らないといけない。彼女が騙しているのは読者なのか自分自身か？

特殊ジャンルの創作におけるPOVは面白い。SFではたいてい登場人物の内面なんて書かれないと思い込む人もあるようだが、読んでみると実際にはそんなことはない。たとえば複数の登場人物が出てくる『スタートレック』の小説版など、あまり気取りのない小説シリーズでは、たいへん手慣れたPOVの切り替えがあったりする。［おそらくル＝グウィンの盟友ヴォンダ・マッキンタイアらの執筆したものなどが想定されている］

ミステリーの多くは〈全知〉の視点で書かれているが、語り手の知識にある限界と発展が、ミステリーの核となる手法として用いられることも少なくない。トニイ・ヒラーマンのナヴァホ警察シリーズ［邦訳：早川書房など］、ダナ・レオンのヴェネツィア刑事シリーズ［邦訳：文藝春秋社・講談社など］、サラ・パレツキーのシカゴ探偵シリーズ［邦訳：早川書房］など上質の作品の多くでは、探偵・刑事の視点から語られている。

ロマンス作品は型通り、ヒロインの知覚を介した三人称限定視点で語られるが、一人称や傍観の語り手、潜入型作者の語りもこのジャンルには適している。

西部小説の祖ともされる古典、オーエン・ウィスターの『ヴァージニアン』［邦訳：平石貴樹訳（松柏社）］は、東部出身の新参者が傍観の語り手となり、一人称でほとんどが語られる（同ジャンルの後続の書き手もこの仕組みを模倣している）。ややぎこちないがウィスターは、傍観の語り手が目撃できない出来事を語る際には作者の語りへと切り替えている。モリー・グロスの見事な西部小説『ジャンプオフ・クリーク（*The Jump-Off Creek*）』［未訳］では、日記体の一人称と、三人称限定視点のあいだを行き来する。書簡体で語られる（そしてつらい部分は作者以外の誰かの話であるかのように三人称で語られる）

私的日記の興味深い例としては、エリノア・プルーイット・ステュワート『ある女性農場主の手紙（*Letters of a Woman Homesteader*）』［未訳］がある。

さまざまな語り手を用いながら視点を切り替えることは、当代多くの短篇・長篇小説に不可欠な構成上の工夫となっている。マーガレット・アトウッドはこの点を見事にやってのけていて、『寝盗る女』［邦訳：佐藤アヤ子・中島裕美訳（彩流社）］やその短篇群、『またの名をグレイス』［邦訳：佐藤アヤ子訳（岩波書店）］（きわめて出来のよい小説で、本書のほぼ全項目の手本として役立つ作品）はぜひ目を通してほしい。映画『羅生門』［監督：黒澤明］は見たことがあるだろうか？　四人の目撃者が同じ事件をそれぞれまったく別の内容で語るという古典作品である。キャロリン・シー『メイキング・ヒストリー（*Making History*）』［未訳］は、語り手となる集団の声で語られ、そのさまざまな声が作品の持つ機知と迫力の核となっている。自作『海岸道路（*Searoad*）』に収めた中篇「ハーン家（"Hernes"）」［未訳］では、ある小さな街で二十世紀を生き抜いた家族の物語を四人の女が語っていて、各人の声が世代を超えて行き来する。またこの種の〈多声〉の語りの傑作を挙げるなら、おそらくヴァージニア・ウルフ『波』［邦訳：森山恵訳（早川書房）など］にちがいない。

第8章
視点人物の切り替え
Changing Point of View

過去から現在へ、やすやすと海を渡るが、
もう戻ることはかなわない。

They sailed easily from the past to the present,
but now they can't get back.

もちろん、視点の切り替え自体は可能であるが、アメリカの物語作家はこれを天賦の権利と目してしまう。つまりここで言いたいのは、自分の行いを自覚する必要があり、アメリカの物語作家には自覚の足りない者がいる、ということだ。その実行のタイミングとやり方を把握しなければならない。そうすれば、切り替えのときにも、読者を無理なく連れてゆける。

一人称と三人称の切り替えは、短篇ではきわめて難しい。実例十二（一四一ページ）のような長篇であっても、この種の切り替えはめったになく、やったとしても結果的に浅はかなものになりかねない。力強い長篇小説であるディケンズ『荒涼館』では、そのドラマの迫力のいくぶんかは、複数の声をこうした巧みな技で切り替えた結果の対比から生まれてきている。とはいえ、ディケンズ本人からエスターへの移り変わりはいつも唐突でぎこちない。さらにこの二十歳の婦女子は時として、中年の小説家のようなひどいひびきになり始めることがあり、やはりウソくさくなる（だがエスターはいきなりうんざりするくらい自己卑下することがある一方で、ディケンズ本人にはそれがないので、むしろほっとする部分ではあるのだが）。ディケンズは、その語りの戦略の危うさをよく自覚していた。語り手たる作者は、傍観の語り手とは重ならないし、エスターの心中にも立ち入れず、彼女を目にすることさえできない。ふたりの語り手は別のものであり続ける。両者は筋書き（プロット）ではつながっても、接触はしない。それだけ妙な手法なのだ。

ちゃんと相応の理由があって慎重入念に一人称から三人称への切り替えを試みるにしても、やはりわたしの全体の印象は変わらない。無理してギアを壊してはいけないのだ。

一作品内で、遠隔型と潜入型の作者の声を切り替えるのは、実際無理である。なぜしたがるのか正直わからない。

繰り返しになるが、潜入型の作者はある視点人物から別の人物へと自在に移動できる。とはいえ多用してしまうと、一流の技で文章を制御しない限り、読者は突発的に心の中を行き来させられてうんざりしたり、そのとき入り込んでいる心が誰のものなのか見失ったりすることになる。

突発的に一瞬だけ別の視点に移ってしまうと、その結果はとりわけ落ち着かないものとなる。注意を払えば、潜入型の作者でならそれも可能だ（トールキンはキツネを使ってこれを実行している）。しかし、三人称限定視点ではこれがなし、え、な、い。たとえばデラという人物の視点で物語を書いているとすれば、「デラは、愛するロドニーの顔を見上げた」とは書けるが、「デラは、その信じられないほど美しいすみれ色の瞳を、愛するロドニーの顔へと向けた」とは書けない。確かに自分の瞳が美しくすみれ色だとデラが自覚していてもおかしくないが、見上げたとき本人から自分の瞳は見えない。ロドニーからなら見える。これではデラのＰＯＶを抜けて彼の視点に入り込んでしまっている（もし実はデラが自分の瞳がロドニーに与える効果を意識していたなら、「彼女は、自分のすみれ色の珠が相手に与える効果をわかった上で、上目づかいをした」と言うしかない）。そのように一語だけＰＯＶを切り替えてしまうのはめずらしいことでもないが、落ち着かなくなるのが常だ。

作者の語りと三人称限定視点は重なり合うところが大きいが、それは潜入型作者が三人称の語りを自在にでき、ふつうはそうしつつ、しばらく単一の人物の知覚に限ることもあるからだ。作者の声がかすかなときには、作品がどの様式で書かれているのか、はっきりとは見分けがたいものとなる。

ゆえに、任意のタイミングで視点人物を切り替えてもいいのは、行う理由とやり方がはっきりとわかっていて、頻繁に行わないよう用心しつつ、一瞬だけ用いるということがない場合のみである。

〈練習問題⑧〉声の切り替え

問一：三人称限定視点を素早く切り替えること。六〇〇～一二〇〇文字の短い語り。練習問題⑦（一三三ページ）で作った小品のひとつを用いてもよいし、同種の新しい情景を作り上げてもよい。同じ活動や出来事の関係者が数人必要。

複数のさまざまな視点人物（語り手含む）を用いて三人称限定で、進行中に切り替えながら物語を綴ること。

空白行の挿入、セクション開始時に括弧入りの名を付すことなど好きな手法を使って、切り替え時に目印をつけること。

自覚なく頻繁にＰＯＶを切り替えるのは、きわどく危険性が高い。とはいえ、だからこそ危険なことに手をつけたくもなる。

問二：薄氷

六〇〇～二〇〇〇文字で、あえて読者に対する明確な目印なく、視点人物のPOVを数回切り替えながら、さきほどと同じ物語か同種の新しい物語を書くこと。

もちろん、問一で書いたものから〈目印〉を取り除くだけでも問二に取り組めるわけだが、それではあまり勉強にならない。今回の「薄氷」では、別の語りの技術と、おそらく別の語りそのものが必要になってくる。今回はどうやら一見、三人称限定視点だけを使っているようでいて、実は潜入型の作者で書かれている、という結果になりがちのようだ。まさに薄氷の課題で、しかも下の海にはまってしまうと深い。

この種のPOV切り替えの模範となるのが、実例十四『灯台へ』の抜粋である。

実例十四

ヴァージニア・ウルフ『灯台へ』より

何に突き動かされて自分は「われらは主の御手にあり」と口走ったのか、夫人は考えをめぐらせた。真実のなかに心にもないことが紛れ込んで、気持ちがぐらついている。彼女はまた編み物に戻った。主がこのような世界をお創りになるものだろうか、といぶかしむ。この自分でも、考えればいつだって現実くらいはわかる、この世には道理も秩序も正義もなく、あるのは苦しみと死と貧困ばかりだと。この世の犯す欺瞞(ぎまん)はどこまでも下劣であると、重々承知だ。長続きする幸せなどないと、自分にも重々承知だ。つとめて冷静に、わずかに口をすぼめて編み物をしていた彼女だったが、自覚のないまま、いつもの真面目癖でキッと険しい顔になってしまったので、そこへ通りすがった夫は、太っちょ哲学者ヒュームの沼にはまった姿を想像していにやついていたものの、ちょうど通りぎわ、美しい妻のうちにある険しさに、否応なく気づくのだった。そのために気落ちした彼は、手の届かないところにいる妻に心を痛め、通り過ぎつつも、自分には妻を守ることができないと実感して、そして生け垣のところに着くころには、すっかり落ち込んでいた。自分は妻に手を差し伸べられない。そばで見守るほかない。しかも最低なことに、実は自分のせいで彼女は余計に難儀しているのだ。自分はいらちで——短気だ。灯台行きのことでカッとなったばかりだった。彼は生け垣をのぞき込み、その奥の入り組んだところを、その闇を見つめるのだった。

いつもそうだ、とラムジー夫人はしみじみする。何かちょっとしたつまらないことで、何か音や景色に遮られるだけで、ひとりの時間からしぶしぶ引き戻されてしまう。耳を澄ませたが、あたりはまだしんとしていて、クリケットは終了、子どもたちはお風呂、あるのはただ海の音だけだった。彼女は編み物を一休みし、しばしその赤茶色の長い靴下を両手に垂れかけてみた。彼女の目にまた灯光が見えた。いったん醒めてしまうとその関係性が変わってしまうこともあって、どこか皮肉っぽく問いかけるように、彼女は灯台の光を見据えたが、その灯は揺るぎなく、情けもなく容赦もなく、自分に似ているようで似ていないようで、自分はそのされるがままになっているのに(夜中に目覚めるとその灯光は床をなでながらベッドをまたいでいたりするのに)、そう思えるにしてもなお、魅了の術でもかかったかのように見つめていると、灯光がその銀の指で自分の心のなかの密封容器をなでるかのように、そして封が破れて喜びが自分のうちにあふれだすかのように、彼女は幸せを、最高の幸せを、凝縮された幸せをまさに知るわけで、その灯光は日の光が薄れゆくなかで、荒波を少しずつきらきらと銀色に染めていて、それでいて海の青が抜けるなかで、灯光は冴えたレモン色の波としてうねりを作り、丸くふくらんでから浜辺で砕けるので、彼女の視野のなかで気持ちよさがはじけて、澄み切った喜びの波が自分の心の床全体に流れてゆくものだから、彼女は実感したのだ――感無量！　感無量！

振り返った夫の目の先に、妻がいた。ああ、うるわしい、この今が最高にうるわしい。だが声はかけられない。邪魔なんてできない。ジェイムズもいなくなって、ようやく妻ひとりになったのだから、話しかけたいのはやまやまだった。けれども彼の決心は、しない、絶対に邪魔はしない。そのときの彼女は、夫から遠く離れて、美と切なさのただなかにあった。夫はそっとしておくことにして、言葉もかけずに通り過ぎたが、妻がはるかかなたにいるようで、手も届かず差し伸べることもできなくて、心が痛んだ。そしてもう一度通りがかるときも、言葉をかけるつもりはなかったが、ちょうどその瞬間に彼女は、夫がけっして自分から求めないとわかっていることを、自分の意思であえて差し出したわけで、つまりは彼を呼び止めて、そのショールを額縁から取り上げると、彼のほうへ向かったのだった。というのも、彼が妻を守りたいと思っていることは、彼女には重々承知だったからだ。

ウルフが無理なく、それでいてまったく明確な切り替えを行っている点に注目してほしい。「何に突き動かされて」から二度目の「重々承知だ」までが、ラムジー夫人のPOVだ。そのあとそこから抜け出るわけだが、その目印は、わずかに口をすぼめて「いつもの真面目癖で」顔を険しくするラムジー夫人でわかる。つまり、沼にはまった哲学者という考えににやりとする通りすがりのラムジー氏が自分のPOVからそれを見ていることになるからだ。そのあと自分では彼女を守れないと気づいて、悲しみを募らせる。そして段落の字下げが、ラムジー夫人にまた切り替わる目印である。

さて、その次の切り替え地点はどこで、目印は何だろうか？

再度の解説：模倣について

分別があるために盗用を恐れ、なおかつ独創性を個人として崇拝するあまり、学ぶツールとして模倣を意識して行うことをも、つい控えてしまう創作の書き手は多い。

詩の講座だと、何某〈風の文体で〉執筆せよ、ある詩集の連やリズムを手本として用いよ、などと学生は指示されることがある。しかし創作執筆の講師は、模倣という考え方そのものを避けるようだ。自分の評価する物語作品を意識してあえて模倣すれば、いい訓練になりえるし、物語作家としての自分自身の声を見つける手段にもなると、わたしは思う。本書に収めた実例やそのほか何か模倣したい何かがあれば、ぜひやってほしい。大事なのは意識することだ。模倣の際には、いくらうまくいったとしても、その作品は練習にすぎないことを絶対に忘れてはならない。けっして模倣自体が目的なのではなく、自分自身の声で巧みに自在に執筆するという目標に向けた手段なのである。

論評として：今回の練習問題を検討する際に話し合うといいのは、切り替えの働き、それで何を得たか（失ったか）、単一のＰＯＶで語ったなら作品はどう変わっていたか、という点だ。

後日：創作を読むときには、用いられているＰＯＶは何か、視点人物は誰か、ＰＯＶの切り替え地点はどこかなど、少し時間を使って考えてもいいだろう。書き手によってやり方が異なる点を確認するのも面白い。またウルフやアトウッドなど、語りの技術に秀でた大作家をよく観察すれば、多くのことが学べるはずだ。

第９章

直接言わない語り——事物が物語る

Indirect Narration, or What Tells

A「上檣帆（トゲルン）を下ろせ！」

B「わかったら下ろします！」

A: Lower the topgallants!
B: I will when I find them!

本章では、一連の出来事を語るという〈物語〉のよく知られた定義には当てはまりそうにない、物語ることのさまざまな側面について扱うことになる。

物語を筋書き（プロット）のことだと思っている人もある。物語とは要するに動き（アクション）だとする人もいる。文芸や執筆の講座では、プロットがいろいろと論じられていて、そしてアクションがかなり重要視されているが、ここではその釣り合いを取るような意見を付け加えてみたい。

ただアクションとプロットしかない物語は、きわめてお粗末な代物だ。どちらもない物語の傑作だってある。私見ながらプロットとは、複数の出来事をふつう偶然という鎖でつなげて物語を紡いでいく、ただの一手法にすぎない。確かに筋を立てるのは素晴らしい工夫である。ただし物語以上に重要なものではないし、必ずしも物語に要るとは限らない。またアクションにしても、なるほど物語は動いて流れないと始まらないし、何かが起こらないといけないわけだが、送ったけれども届かなかった手紙、口に出せない思い、夏の日の時間経過くらいの動きだけで構わないのだ。暴力的なアクションが続くのなら、たいていは要するに語られる物語がないという印である。
E・M・フォースター『小説の諸相』〔邦訳：中野康司訳（みすず書房）〕は、わが長年の愛読書にして議論の元種だが、よく知られた物語の説明がある――すなわち、「王が死に、そののち妃も死んだ」が物語。そして「王が死んだ、そののち妃が悲痛のあまり死んだ」がプロットだと。
わたしの意見では、両方とも物語の出発点であり、ひとつ目はふわっとしていて、ふたつ目はやや骨組みらしくなってはいる。だがどちらも一本の筋となるものはないし、プロットそのものでもない。「王の弟が王を殺し、その妃と結婚したため、世継ぎの王子は心を乱した」――これならプロットになる（きっと見覚えあるものだと思うけれども）。〔シェイクスピア『ハムレット』のこと〕
筋の立て方には数に限りがある（七という説、十二という説、三十という説もある）。かたや、物語の数は無限だ。この世界の誰もが自分の物語を有しており、人と人が会えばいつだって物語は始まりうる。歌手ウィリー・ネルソンは、どこから歌を思いつくのかと訊かれて、こう答えた――「大気にはメロディが満ちている、手を伸ばすだけでいい」。世界には物語が満ちている、手を伸ばすだけでいい。

つまりここには、入念に前もってがっちりした筋を立てないと物語なんて書けない、という通念のくびきを解こうという意図がある。それがお気に入りの書き方なら、もちろんそう書いて構わない。だがそうでなく、計画や筋書きの立てられない性分でも、心配は要らないということだ。世界には物語が満ちている……ただ必要なのはおそらく、ひとりふたりの登場人物か、何かの会話、何らかの状況、ひとつの場のようなものであって、そうすればそこに物語が見えてくる。執筆を始める前にそのことを考えて、少なくともいくらかは作り上げてみるのだ。するとたいてい自分の進む方向性はわかってくるから、あとは語りながらやれば何とかなる。〈文体の舵をとる〉というイメージは個人的にもお気に入りだが、実のところ物語という船は魔法の船なのだ。おのずから航路はわかっている。舵をとる者のつとめは、船の行き先がどこであろうと、その苦難の道行きを支えることである。

本章では、語りにおける情報の示し方についても取り扱う。

これは、空想科学（サイエンス・フィクション）（ＳＦ）や幻想文芸（ファンタジー）の書き手が強く意識している技術である。ＳＦもファンタジーも、語られない限り読者が知る由もないような情報を、たくさん伝えないといけないからだ。自作の舞台が二〇〇五年のシカゴなら、その時と場所、物事の状況についてはそれなりにわかっていると考えていいし、そのままそれとなくほのめかして描写に詰め込んでいけばいい。だが自作の設定が三二〇五年のりゅう座４‐β星の場合は、読者も何を想定すればいいかさっぱりわからない。物語世界の創造と説明は、物語内でなされなければならない。それこそＳＦとファンタジーのとりわけ興味深くも美しいところだ。書き手と読者は、世界構築の上で協力関係にある。とはいえ、実際にやるとなると厄介である。

愚かにも工夫したつもりなのか、ほとんどありのままの情報が講釈や授業のかたちで垂れ流しにされているなら（たとえば「ああ船長、反物質偽装器の機能を教えてくれないか」なんて発言のあとそいつが延々と解説するなど）、ＳＦ作家たちのいう〈説明のダマ〉ができてしまっている。（ジャンルを問わず）本当に技巧のある書き手なら、説明をダマにさせたりしない。情報を砕いて粉にした上で、レンガにしてそれで物語を組み上げる。

おおよそどの語りも、説明と描写という重荷をそれなりに運ぶこととなる。この説明なる積み荷は、ＳＦのときと同じく回顧録や自伝でも問題となってくる。情報を物語の一部にする方法は、技術として学べるものだ。いつものことだが、解決策のかなめとなるのが、まず問題ありと意識できるかどうかである。

そこで本章で取り扱うのが、語っているそぶりを見せないまま、ある物事について話すという物語のあり方だ。それと気づかれないさりげない解説を練習してもらう。最初の練習問題は、ごく簡単でシンプルなものから。

〈練習問題⑨〉方向性や癖をつけて語る

問一：A&B

この課題の目的は、物語を綴りながらふたりの登場人物を会話文だけで提示することだ。

一〜二ページ、会話文だけで執筆すること（会話文は行の途中で改行することが多いので、文字数で示すと誤解のおそれがあるから用いない）。

脚本のように執筆し、登場人物名としてAとBを用いること。ト書きは不要。登場人物を描写する地の文も要らない。AとBの発言以外は何も、な、い、し。その人物たちの素性や人となり、居場所、起きている出来事について読者のわかることは、その発言から得られるものだけだ。

テーマ案が入り用なら、ふたりの人物をある種の危機的状況に置くといい。たった今ガソリン切れになった車、衝突寸前の宇宙船、心臓発作で治療が必要な老人が実の父だとたった今気づいた医者などなど……

付記：「A&B」は、短篇小説を書く課題ではない。今回はあくまで物語の一要素の練習だ。実際、ささやかな寸劇や芝居の台本として結構満足できるものが仕上がることもあるだろうが、テクニックとしては、小説の語りで大いに用いるものでも頻繁に使うものでもない。

論評では： 複数人で取り組むなら、講座中や例会内で執筆するといい練習になる。みんなが書きながら結構ぶつぶつ言っていることに気づくはずだ。

読み上げの際、他人が読めるくらいわかりやすく本文が書かれているなら、作者がA、別の誰かがBを担当してみるとかなり面白い（もちろん一通り黙読したあとで）。勇気があるなら、自分以外のふたりにゆだねて読み上げてもらうのもいい。そのふたりがちゃんと読んでくれたのなら、引っかかったところや、間違って強調してしまったところ、自然に聞こえるところやわざとらしくひびくところなどがわかるので、読み上げの結果から修正の取り組み方もかなり見えてくるはずだ。

ひとりで取り組んだのなら、自分で声に出して読んでみること。小声ではだめ。声、を張り上げて。

この課題の話し合いや反省では、取り組みそれ自体の効果についても検討してみたくなるだろう（つまるところ短いお芝居なのだから）。また次の点を考えてもいいだろう。物語がわかるものになっているか？　人柄や状況はじゅうぶん読み取れるか――情報はもっと必要か？　あるいは削ったほうがいいか？　実際、その人々についてどれくらいのことがわかるか？（たとえば性別はわかるか？）　その人々への印象はどうか？　AとBの発話主表示がなくてもふたりの声は区別できるか？　もしできない場合、どうすれば区別しやすくなるのか？　実際の人々はそんなしゃべり方をするか？

後日：「A&B」は、「簡潔性」と同様、これから先も役に立つ練習問題だ。何もやることがなくよほど暇ならいつでも、AとBをネヴァダ州のど真ん中の車内か何かに置いて、その会話をのぞいてみて構わない。ただし、脚本家でもない限り望む出来にはならないことは、忘れないように。結果は望むものの一要素にすぎないのだ。役者がいてこそ、芝居の言葉は具現化と再創造がなされる。創作では、確かに会話文で物語と人物のかなりの部分が伝わることもあるが、物語世界とその住人の創造は物語作家の手でなされねばならない。会話文という具現化されない声だけしか物語に存在しないのなら、あまりに多くのものが欠けたままになってしまう。

多声（ポリフォニー）

やはり、ここでしばらく複数の声の話をしておきたい。

あの素晴らしい小説という代物の素晴らしい要素のひとつが、たくさんの声がひびくこと、つまりあの多声（ポリフォニー）と呼ばれるものだ。小説のなかで、ありとあらゆる人々が思考と実感と語りを始めるわけで、あの心のあり方の多様さが、この形式の生命感と美の一端となっている。

この多様な声を作り上げるためには、物まね芸人のような人まねの才能が書き手に必要だと思うかもしれない。だがそれは違う。むしろ自分を登場人物の自我のなかに入り込ませる、本格的な役者の振るまいに近い。心から登場人物になりきって、自身の内側からその人物の思考や発言を浮かび上がらせるのだ。心の制御を、自分の創造したものと厭わず共有するのである。

自分のものではない声で書くにあたって、書き手には自覚して練習することが必要にもなるだろう。抵抗感があってもおかしくない。

自伝や回顧録なら、ひとつ自分の声だけで書くということもある。ただし、自伝や回顧録に出てくる人がみんな、作者のしゃべってほしいことばかり話しているのなら、読者に聞こえてくるのは作者のおしゃべりだけだ――際限も説得力もないひとり語りである。同じことをやらかす創作の書き手もいる。登場人物を、自分の言いたいことや耳にしたいことの代弁者として利用してしまうのだ。そうなると、みんな同じようなしゃべり方で、登場人物も作者の小型拡声器以外の何ものでもない、そんな物語を読者がつかまされることとなる。

この場合に必要なのは、聞こえた他者の声を用い、受け入れて用いられる自分を意識して、まじめに練習することである。

自分語りの代わりに、自分を媒介として他者に語らせてみよう。

わたしには、回顧録や自伝の書き手にこのやり方をどう教えていいかわからない。というのも、実在の人の声をよく耳にとめてそっくり再現する方法について、自分は無知だからだ。自分の特訓したことのない技術である。できる人を心底尊敬する。おそらく何か練習の取っかかりがあるとすれば、バスの乗客やスーパーマーケットの利用客、待合室に居合わせた人たちに耳を傾けて、その会話を記憶してあとで書き起こし、本物の声をそのまま再生する個人練習としてみる、といったようなことだろうか。

しかし創作の執筆なら、自分を媒介にして他人に語らせる方法は、わたしにも教えられる。耳を澄ませること。ただ黙って、よく耳を傾けること。登場人物に話をさせるのだ。検閲はだめ、制御もなし。耳にとめて、書くだけ。

この行為を怖がる必要はない。結局のところ、制御は自分でどうにかなる。その登場人物たちは、まったく自分次第なのだから。そもそも自分が作り上げたものである。あわれな虚構の存在に、発言の機会を与えてやれ――でも、いつでも好きなときに削除キーは押せる。

〈練習問題⑨〉問二：赤の他人になりきる

四〇〇～一二〇〇文字の語りで、少なくとも二名の人物と何かしらの活動や出来事が関わってくるシーンをひとつ執筆すること。

視点人物はひとり、出来事の関係者となる人物で、使うのは一人称・三人称限定視点のどちらでも可。登場人物の思考と感覚をその人物自身の言葉で

読者に伝えること。
　視点人物は（実在・架空問わず）、自分の好みでない人物、意見の異なる人物、嫌悪する人物、自分とまったく異なる感覚の人物のいずれかであること。状況は、隣人同士の口論、親戚の訪問、セルフレジで挙動不審な人物など――視点人物がその人らしい行動やその人らしい考えをしているのがわかるものであれば、何でもいい。

執筆前に考慮すべきこと：ここで言う〈赤の他人〉〈自分とはまったく異なる人物〉とは、つまりは心や気持ちの面で、同情・共感が簡単にはできない人物のことだ。社会・文化・言語・出身の面でかなり異なる人物には、実際のところ登場人物としてなかなか手を出しづらいところがある。内面からその人物を書こうとしても、実はその人生があんまりわかっていなかったりする。わたしにできる助言は、身近なところに張り付くこと、である。いたるところに赤の他人がいる。
　こうした心の入れ替えを訓練していない書き手にとっては、性別の切り替えひとつ――正反対の性別の人物になりきって書くことさえも、きつく恐ろしいものになりか

ねない。自分が当てはまるなら、まずやってみよう。

年若い書き手だと、年かさの人物になりきって書いたことがない人も多い（〈年かさ〉とは三十歳以上のこと）。当てはまるなら、やってみること。

家族関係を書くときに、親としてでなく、いつも子として書いてしまう書き手は（年長者であっても）多い。これも当てはまるようなら、子ではなく親世代のひとりになりきって執筆してみよう。

いつも似たような人ばかり書いてしまうなら、まったく別種の人物について書くこと。

もっぱら創作ばかり書いているなら、今回は回顧録や日記の練習にしてもいい。まず、自分の好きでない人物、または軽蔑している人物か、まったく相容れないと思える人物との思い出をよみがえらせてみよう。その思い出した瞬間を採用して、それを相手のPOVから語り、相手の感じたこと、相手の見たもの、相手の発言とその理由などを推測してみるのだ。相手はこちらをどう思ったのだろうか？

主に日記や回顧録ばかり書いているのなら、今度は創作の練習にしてもいい。自分とは全然違う人物、自分には共感できない人物をでっち上げてみよう。その人物のなかに入り込んで、その人がやりそうな思考と感覚を進めてみること。

付記：実際の出来事を思い出すにしても、今回の課題を眠れる悪魔の目覚ましには用いないように。癒やし（セラピー）ではないのだ。単なる課題であって、あくまで執筆の一要素として大事なもの、書き手にちょっと思い切ってもらうためのものなのだから。

確かに今回の課題を皮肉や憎悪から取り組むなら、視点人物の実際の思考や感覚をあらわにすることで、そいつがいかにひどいやつか示すこともできる。そういう執筆姿勢自体は合法であるし抜け目がない。ただし、その人物に対しての自分の判断をいったん保留にするという、今回の課題の目的は台無しになってしまう。この練習問題が課しているのは、〈他人の革靴を履いて長距離を歩く〉、つまり他人の目を通して世界を見ることなのだ。

論評では：今言ったことを評価基準にしてみてもいいだろう。読者として、視点人物のなかにしっかり入り込み、その人物の世界の見方が何かしらつかめただろうか？それとも、書き手が中に入らず、価値判断にこだわって、読者に同じ判断を押しつけようとしていただろうか？　その作品内に悪意や怨念があるとしたら、それは誰のものか？

別の角度から見て――作品を語る声が説得力あるものになっているか？　ここは本物らしく聞こえる、あそこは偽物らしくひびく、といった特定の箇所があるか？　なぜそんなことになっているのか（他人との話し合いで、また自分自身で）突き詰めることはできるか？

終わったあとの反省では：視点人物として選んだ人物の選考理由を検討してみてもいい。また、書き手としての自分や、自分なりの人物操作の方法について発見があったかどうかを考えてもいい。自分とはかなり異なる声での執筆を、またやってみたいだろうか？

さてここで、いったん声の話からは離れよう。

練習問題⑨の問三は、問一とかなり似ているが、ただし内容は反対だ。「A&B」では、情景はまったくなしで、声だけに取り組んだ。今回は、情景描写だけに取り組む。人物は不在で、出来事も（一見）何もない。

この問題へ入る前に、実例十五、十六、十七を読んでみてもいいだろう。

実例十五

学寮にあるジェイコブの部屋の描写は、筆致としてはゆるく、あまり大事な点もなさそうに見える。とはいえ作品の題名も『ジェイコブの部屋』［邦訳：出淵敬子訳（文遊社）］であり……その本の巻末までやってきて、最終ページ、このささやかな描写の最後の二文が一字一句そのままに繰り返されると、まったく違う、胸の張り裂けそうな余韻が残ることになる（あぁ、その繰り返し表現の迫力たるや！）。

ヴァージニア・ウルフ『ジェイコブの部屋』より

羽毛にも似た白い月で、空は暗くなりそうもない。夜通しマロニエの花が緑のうちに白く開いていた。

トリニティ学寮の給仕たちは、陶器皿をトランプのように切り混ぜているにちがいない。なにしろ大方庭(グレート・コート)にいてもカタつく音が聞こえるくらいだ。ところがジェイコブの部屋があるのはネヴィルズ・コートで、最上階だから、その部屋へ着くころにはみんなちょっと息切れして現れる。しかし本人は不在だ。おそらく広間で夕食中。ネヴィルズ・コートは真夜中までまだあるのに真っ暗になったりするのだが、いつも向かいの柱だけは白いままだったりして、それから噴水もある。門がふしぎな効果を生み出していて、淡い緑にかかるレースのようだ。窓際でも聞こえてくる皿の音、食事中のにぎやかな話し声も。広間に明かりが灯され、自在戸は物音もかすかに開いたり閉じたり。幾人かが遅れてくる。

ジェイコブの部屋には、丸いテーブルが一卓と、低めの椅子が二脚あった。炉棚の花瓶にはキショウブが挿してあった。そのほか母親の写真、小さな三月と紋章と頭文字入りの社交用名刺、ノートに煙管(パイプ)。テーブルに載せられた赤枠の線が入った紙束――なるほど論文で――「歴史とは偉人たちの伝記から成り立つものか?」。本はぎっしりあった。フランス語の本はあまりない。とはいえ、ひとかどの人物ならその気になればお好きな本を何でも猛感激しながら読めたりする。たとえばウェリントン公の伝記、スピノザ、ディケンズ全集、『妖精の女王』、押し花でつるつるになったケシの花弁つきギリシア語辞典、エリザベス朝作家勢揃い。彼の室内履きは信じられないくらいくたくたで、水に触れる船縁まで燃えたボートのよう。それからギリシア風衣装の人物写真と、サー・ジョシュアのメゾチント画――何から何まで英国らしさがある。ジェイン・オースティンの全集もあるが、おそらく誰か他人のすすめに従ったものか。カーライルは賞品だった。

ほかにもルネサンスのイタリア画家に関する本が数冊、『馬の病の手引き』、普段の教科書一揃いがあった。がらんどうの部屋の空気はけだるげで、ただカーテンをふくらませ、瓶の花を揺らす。柳細工の肘掛け椅子の芯が一本きしむ、そこに座る人はいないのに。

実例十六

次の実例は、ハーディ『帰郷』［邦訳：深澤俊訳（大阪教育図書）など］の有名な冒頭部である。この第一章には、エグドン・ヒース以外に何も誰もまったく登場しない。ハーディの文体は遠回しで重苦しく、正直なところこの章全体を読まないと、その導入の情景のすさまじさが実感できない。この作品を最後まで読み通したあと、かなりはっきりと、何年か経ったあとでもきっと印象に残る登場事物が、エグドン・ヒースという場なのだ。

トマス・ハーディ『帰郷』より

十一月のある土曜日の午後、黄昏時(たそがれ)にさしかかるころ、エグドン・ヒースとして名高い、柵ひとつない広大な荒野は、刻一刻と暗がりつつあった。虚ろに広がる頭上の白雲が、青空をふさいで、まるで荒野全体を床にした巨大な天幕のようだった。

　天にはこの青白い覆いが広がり、地には黒々しい植物であるから、その接線が地平線にくっきりと現れている。こうした明暗のうちにある荒野は、天文時（てんもんじ）に先んじたぶんだけ夜が分割で訪れているような様相だった。もはや相当部分が暗くはあったが、日もはっきりと空に残っていた。ハリエニシダを刈る人も、見上げれば仕事を続けたがるだろうが、下を見れば枝を片付けて帰宅を決心するだろう。地上と天空のはるかなる境は、事物を隔てるだけでなく、時の仕切りでもあるようだ。荒野のその見た目だけで、夜が半時間は増えている。そのまま同様に夜明けも遅れて、真昼もうらぶれ、めったにないすさまじい嵐の前兆となり、月のない真夜中の濁りが濃くなり、これから震撼と恐怖を引き起こすことになるかのようだった。

　実のところ、まさしくこの夜ごと闇へと次第に変じゆくわずかな刻限にのみ、エグドンの地特有の一大美観が始まる。その瞬間に居合わせたことのない者は、けっしてこの荒野を理解したとは言われない。その不鮮明な眺めにこそ最大の情感が生まれ、その完全な感動と意味はこの時間帯と次なる未明の来たる数刻にのみある。まさにこの地は夜と親密であり、夜が姿を現すときには、全体の沈んでゆく様子がその陰影や情景からありありとわかる。広く丘陵や窪地に闇の立ち上がるさまが、まったく同調するかのごとく夕闇を出迎える。荒野が闇をはき出すのと同じ速度で、天空が闇に染まっていく。そして大気の濁りと大地の濁りとが、互いにその途上で出会い、暗黒同士の友愛から交誼を結び合う。

さあこの地に、張り詰めた緊張感が充ち満ちた。他のものが巣に帰り、眠りにつこうという時分、どうやら荒野がゆっくりと目覚めて、聞き耳を立てるらしい。毎夜この壮大な景色は何かを待っているかのようで、それでいて待ちながら何世紀も動かず、様々なものの危機が過ぎ去っていった。となれば、おそらく待っているのはただひとつ、最後の危機――終末の破局ではなかろうか。

実例十七

ジェイン・エアが、はじめてソーンフィールド館を歩き回るくだりをたどってみよう。部屋はいずれも無人で、ジェインと家政婦が話をしながら通り過ぎていくのだが、この一節の迫力は数々の描写にある。調度品、屋上とその明るい眺望、いきなり三階の薄暗い廊下に戻り、そのあとジェインに聞こえる笑い声。「あやしげな笑い声で

――はっきりしているがよそよそしく、楽しさも感じられない」（あぁ、この適切な形容の迫力よ！）

シャーロット・ブロンテ『ジェイン・エア』より

正餐の間を出ると、夫人は館全体の案内を申し出た。そこでわたしは夫人の後ろから階段を上り下り、歩きながら感歎した。いずれも万事整えられ、立派なものだったからだ。正面側の大部屋は、格別に素晴らしいと思った。それから三階の数室は、暗くて天井が低いものの、その古風な雰囲気に趣があった。もとは階下の間に宛ててあった家具が、流行の変わるごとこちらに運び移されたという。そして細長の窓から差し込むほのかな光に、百年ものの寝台が浮かび上がる。樫材か胡桃材の櫃には、棕櫚の枝と智天使の頭部の風変わりな浮彫りがあって、旧約にある掟の箱にも似ていた。背もたれの細長い旧式の椅子が並び、いっそう古めかしい腰掛けには、棺の塵になって二代は経とうという人の指になされた縫い取りの跡が、すり切れながらもかろうじて座面の上に残っていた。こうした遺物すべてのために、ソーンフィールド館の三階は、過去の住まい――追憶の殿堂という様相になっていた。日中なら、この幽棲の静寂と暗闇と古雅は好ましいものだ。とはいえわたしは、そのどっしりとした幅広の寝台のひとつに、夜の安らぎを望む気にはどうしてもなれなかった。あるものは戸に閉め込まれ、またあるものは不気味な花やさらに不気味な鳥、どこまでも不気味な人間などを模した刺繍に厚ぼったく覆われた旧英国風の垂布(カーテン)が掛けられてあった――これが蒼ざめた月光に晒されたなら、いずれもまさしく不気味に映ったことだろう。

「召使いの人たちは、こちらの部屋でお休みに？」とわたしは訊いた。

「いいえ、あれらは裏手の小部屋の並びを使います。今までここに休む人などまったくで。もしソーンフィールド館に幽霊があるなら、ここがその棲み家だろうと申す者もあるようで」

「なるほど。ということは、ここに幽霊は？」

「聞いたこともございません」と答えるフェアファックス夫人は、微笑んでいた。

「代々のものもございませんか――言い伝えや怪談も？」

「はて、知る限りは。ただ、なんでもロチェスター家は、往時は穏やかというより烈(はげ)しい血筋であったとか。ですからそのぶん、今はお墓でおとなしくお休みなのでしょうね」

「まさしく――『定めない人生の熱病を了(すま)して、安楽に眠っている』」とわたしは呟いた。「あら、どちらへゆかれますの、フェアファックス夫人？」ちょうど夫人がその場を出ようとしていたのだ。

「鉛葺きの屋上へ。おいでになって、景色をご覧になりませんこと？」わたしは後からついて、たいへん狭い階段から屋根裏へ上り、そこから梯子づたいに撥ね上げ戸をくぐって、館の屋上へと出た。さて今やわたしは鴉の群れと同じ高さにいて、その巣を覗くことさえできた。鋸壁に身を寄せて遠くに目を下ろすと、地図のように広がる土地が見渡せた。つややかな天鵞絨にも似た芝生が、館の礎をみっちりと囲み、公園ほどもある野には樹齢ある木立が点在し、焦茶色の枯葉の森が小径で区切られ、そこには群葉の木々以上に濃く緑に生い茂る苔草がはっきり見えた。門のそばの教会と道とのどかな丘、一切が秋の日の陽光のうちにひっそりと休んでいる。地平線に接するのは、真珠色の大理石模様のように雲の散る、前途のよい青空だ。その景色には尋常ならぬものは何もなく、ただすべてが幸いだった。屋上から戻って撥ね戸をくぐるときには、梯子づたいの下り道がかろうじて見える程度だった。屋根裏はさながら地下室のように真っ暗に思えたが、それにひきかえ、さきほど見上げたのはまさに蒼穹で、この館を中心にした木立や草原や緑の丘の陽に輝く景色は、見つめているだけで喜びだった。

フェアファックス夫人は少しのあいだ後に残り、撥ね上げ戸を閉めていた。わたしは手探りで屋根裏からの出口を見つけて、前に進んでそこの狭い階段を下りていった。ここから、三階の表と裏の各部屋を隔てる長い廊下に続くのだが、ふとわたしはそこで躊躇した。狭くて広い上に薄暗く、奥の行き止まりに小窓がひとつあるばかりで、閉め切った小さな黒い扉がずらり両側に並ぶのだから、まるで〈青髭（あおひげ）の城〉か何かの廊下のように見えたのだ。

忍び足で歩くうち、こんな静かなところで聞こうとは思いもしない笑い声が、わたしの耳を突いた。あやしげな笑い声で――はっきりしているがよそよそしく、楽しさも感じられない。わたしは立ち止まった。瞬時でその響きは絶えたが、今度は前よりも大きな響きがあった。初めのは、はっきりしていてもとても小さかったのだ。やがて騒々しい反響となって消えていったが、それは物寂しい各部屋にいる木霊（こだま）を呼び覚ますものかのように思えた。ともあれ、その声のみなもとはひと部屋であるから、わたしにも騒音の出所たる部屋の戸を指し示すことができた。

［本実例の訳出にはパブリック・ドメインの十一谷義三郎訳も参考にした］

読書案内

引用した実例ではいずれも、そのかなりありのままの描写が、物語を遅らせも止めもしていない。物語が情景のうちに、描写されたもののなかにある。このごろは、描写だけの〈一節〉を、さながら〈アクション〉の遅延が避けられない不要な飾り扱いして、敬遠するきらいがある。単なる風景や、人や人生についての大量の情報でも動きになりうる、つまり物語を展開させる流れになるということを確かめたいのなら、リンダ・ホーガン『陽光の嵐（*Solar Storms*）』〔未訳〕、レスリー・マーモン・シルコウ『儀式』〔邦訳：荒このみ訳（講談社）〕、エスメラルダ・サンティアゴの回顧録『わたしがプエルトリコ人だったころ（*When I Was Puerto Rican*）』〔未訳〕を見るといい。

ジョン・ル・カレ『パナマの仕立屋』〔邦訳：田口俊樹訳（集英社）〕など、文章の出来がいい本格サスペンスでは、設定や政治情勢などの情報が、同じく物語と不可欠な要素として結びついている。良質のミステリーも情報を伝えるのがうまく、たとえばドロシー・L・セイヤーズの名作『殺人は広告する』『ナイン・テイラーズ』〔邦訳：浅羽莢子訳（東京創元社）など〕などがある。トールキン『指輪物語』といったファンタジーでは、止まらず進行する物語のなかで、細部の鮮明かつ具体的な描写の数々を通じて、世界全体が無理なく楽しく創造・説明されている。あの長大な作品のなかで、登場人物の居場所やそのときの天候について、読者がわからなくなることなど一瞬たりともないと、わたしは確信している。

先にも触れたSFは、相当量の情報を語りの一部として機能させるのが専門のジャンルだ。ヴォンダ・N・マッキンタイア『太陽の王と月の妖獣』〔邦訳：幹遙子訳（早川書房）〕は、ルイ十四世の豪奢な宮殿と偏屈宮廷人たちを、あまたの歴史書以上にうまく物語っていて、まさしく目もくらむような物語である。

良質の歴史記述もまた物語だ――ヒューバート・ヘリングの大著『ラテンアメリカ（*Latin America*）』〔未訳〕を目の当たりにすれば、二十ヶ国と五百年とが、ページをめくる手も止まらぬ本へと見事に化けた、その手際に驚嘆するはずだ。スティーヴン・ジェイ・グールドは、ややこしい科学の知識と理論を、力強い語りのエッセイへとぎゅっと詰め込む名手である。回顧録は描写と物語とを分けるために、いささか時代遅れとも思われていて、確かにかつて十九世紀初頭のウォルター・スコットがやったように、まず情景を見せてからそこで起こったことを語る。しかし、メアリー・オースティン『雨の降らない土地』〔邦訳：だいこくかずえ訳（葉っぱの坑夫）〕、イサク・ディネセン『アフリカの日々』〔邦訳：横山貞子訳（河出書房新社）など〕、W・H・ハドソン『美わしきかな草原』〔邦訳：柏倉俊三訳（英宝社）〕のような、〈場所から書く〉本でも深みのあるものは、景色と人物と感情とを手の込んだ一枚の継ぎ目のない生地へと織り込んでいる。フレデリック・ダグラス〔邦訳：樋口映美監修『アメリカの奴隷制を生きる』（彩流社）など〕、サラ・ウィネマッカ〔*Life Among the Piutes* 未訳〕、マキシーン・ホン・キングストン〔邦訳：藤本和子訳『チャイナタウンの女武者』（晶文社）〕、ジル・カー・コンウェイ〔邦訳：宮木陽子訳『はるかなる大地クーレイン』（新宿書房）〕などの自伝や、ウィニフレッド・ジェランによるブロンテ姉妹の伝記〔*Charlotte Brontë; Emily Brontë; Anne Brontë* いずれも未訳〕およびハーマイオニー・リーによるヴァージニア・ウルフの伝記〔*Virginia Woolf* 未訳〕といった良書では、時代・場所や人生の出来事についての大量の情報が、語りによって無理なくもたらされ、その物語には小説家もうらやむほどの深みと密度がある。そして込み入った事実と専門知識を、深みを感じさせる見事な語りで織り交ぜつつ、長い年月と多くの人々の話をまとめ上げたものとして、わたしの知るなかでもいちばんの傑作と言える実例は、おそらくレベッカ・スクルート『ヒーラ細胞の数奇な運命』〔邦訳：中里京子訳（河出書房新社）など〕であろう。

〈練習問題⑨〉問三：ほのめかし

この問題のどちらも、描写文が四〇〇～一二〇〇文字が必要である。双方とも、声は潜入型作者か遠隔型作者のいずれかを用いること。視点人物はなし。

①直接触れずに人物描写——ある人物の描写を、その人物が住んだりよく訪れたりしている場所の描写を用いて行うこと。部屋、家、庭や畑、職場、アトリエ、ベッド、何でもいい。（その登場人物はそのとき不在であること）

②語らずに出来事描写——何かの出来事・行為の雰囲気と性質のほのめかしを、それが起こった（またはこれから起こる）場所の描写を用いて行うこと。部屋、屋上、道ばた、公園、風景、何でもいい。（その出来事・行為は作品内では起こらないこと）

作品の本当の主題となる人物や出来事については、直接触れてはいけない。これは役者のいない舞台であり、アクションが始まる前にパンしてしまったカメラだ。この種のほのめかしは、ほかのメディア以上に言葉が得意とするものだ。映画でさえも言葉にはかなわない。

好きな小道具を使ってもいい。家具、衣類、財産、天気、気候、歴史上の時代、植物、岩場、におい、音、何でもだ。いわゆる感傷の誤謬*も最大限に発揮しよう。人物の理解や過去・未来の出来事のほのめかしにつながる小物や細部は、何にでも注目を向けよう。

これが語りの一手法であり、物語の一部であることを忘れないように。描写されるあらゆるものは、その物語を進ませるためにそこにある。たくさんの証拠を読者に見せた上で、一貫した確かな雰囲気や空気感を積み上げていき、そこから不在の人物や語られざる行動を読者に考えさせ、それとなく気づかせ、直感させるのだ。単なる商品一覧ではうまくいかず、読者を退屈させることになる。ひとつひとつの細部が物語っていないといけない。

課題として「ほのめかし」が面白いと思ったのなら、どちらか（または両方）を再度やってみるのもいい。今度は、作者の声の代わりに、物語内の登場人物の声を用いて、情景を描写してみよう。

付記：描写の執筆では、ときどき視覚以外の感覚を使うことも検討してみよう。何よりも、聴覚はさまざまなものを呼び起こす。嗅覚の語彙は限られているが、ある香りやにおいに言及すると、情調が出てくることもある。味覚と触覚は、遠隔型の作者では使えない。潜入型の作者なら、動き回りながら手で触れたものの感触を伝えられるが、さすがに潜入型の作者でも、つやつや（またはほこりまみれ）の木皿にある新鮮で美味しそうな（またはカビてしまった）果物を実際に食べたりできるとは思えない……とはいえ、物語内の登場人物にそういうことを語らせるなら、五感全部のフル活動が可能だ。

〈練習問題⑨〉の追加問題：ダマになった説明

わたしのワークショップの参加者が、みんなして興味を持つのが〈説明のダマ〉という考え方だ（どんな書き手もきっとそうだろう）。受講者一同、それ専用の練習問題を所望するわけだが、わたしがそんなの思いつかないと言うと、いわく「先生が何かしらの情報を作り上げた上で、わたしたちがそれに取り組んで語りに仕上げるというのはどうか」。魅力的な発想だ。そこでわたしは素材をでっち上げるようになり、一同は懸命に通り組むこととなった。
わたしの現実世界の知識は浅いものなので、ここではファンタジーの素材を提供したい。恐れる必要はない、ただの練習問題である。終わったらすぐに、いつまでも現実世界へ戻っていいのだ。

追加問題一：幻想のダマ

作り物の歴史であり、でっち上げの情報であるこの記述を、熟知するまで勉強すること。そのあと、これを物語や情景の土台として活用しよう。情景を書きながら、この情報を肥料にするわけだ。細かくつぶしてまき散らし、会話やアクションの語りなど、どこでも使えそうなところになじませてみよう。そうすれば、ダマに見えることはない。ほのめかし、ふとした言及、暗示など好きな手段を用いて、そのことを語ってみよう。何か勉強していることを読者が気づかないように語るわけだ。妃（きさき）の置かれている状況が読者に全部把握できるよう、じゅうぶん内容を入れ込むこと。紙幅はおそらく二～三ページか、もうちょっとかかるかもしれない。

ハラスの王国はかつて代々、女王によって統治されていた。しかしこの百年、統治してきたのは男で、女には認められていない。二十年前、若き王ペルが、エンネディ族という魔術師たちと国境地帯で戦うさなか、姿を消した。ハラスの民は、魔術は七女神の御心に反するとその宗教が教えているため、魔術の修行をしたことがなかった。

　現在、ペル王の行方は杳（よう）として知れない。残されたのは妻だけで、認知されている世継ぎはいない。王座はわれのものと主張した者たちは、妃の近衛兵（このえへい）であるジュッサ卿によって全員粛正されたが、この内紛のあと、王国に残ったのは疲弊と不幸とであった。

　この物語の時代、エンネディ族は東の国境を侵略せんと脅かしていた。ジュッサ卿は四十の女である妃を、保護を口実にして遠く離れた塔に幽閉し続けた。実のところ、卿は彼女を恐れるとともに、宮殿内にいた妃とひそかに会おうとする謎の男のうわさに心中穏やかではなかった。この人物は、妃の庶子とも言われている反乱分子の指導者だろうか、それともペル王本人だろうか、あるいはエンネディの魔術師だろうか、はたまた……

ここから題材を採ろう。物語全体を執筆する必要はない。この情報を元にしつつ、この情報を読んだことのない読者でもちゃんとわかるくらい内容を詰め込んで、情景をひとつふたつ書くだけでいい。妃が囚われている塔が、開始地点としてはうってつけだ。好きな視点人物を選んで構わない。妃にも名前をつけること。

追加問題二：現実のダマ

この課題は、回顧録や自伝を書く人を想定したものだ。実際の体験を扱うわけなので、こちらから素材の提供はできない。複雑で特殊な操作・動作が必要なもののなかから、自分でやり方のわかるものを思い浮かべてほしい。たとえば、パン作り、ジュエリー制作、納屋の建設、服のデザイン、ブラックジャックやポロといった遊戯、船舶の運転、エンジンの修理、大きな会議の設営、骨折した手首の固定、活字組み……誰でもやり方がわかるわけではないものがいい。そうすれば、たいていの読者がその手順の説明を知りたくなるので。

何も思い浮かばない場合は、百科事典を見て、何かのプロセスを調べるといい——普段から何だろうと気になっていたものはどうだろう。紙の手作り方法、製本のやり方、馬の蹄鉄のはめ方、何でもいい。自分の想像力を駆使して細部の感覚も添え、あざやかな描写になるようにしていこう（工業プロセスはたいてい複雑すぎて、この方法では今さら勉強のしようもないが、自分がすでに持っているその手の知識があるなら、題材としてはうってつけだ）。

少なくともふたりの人物が関係してくる情景を執筆すること。そのプロセスが続くなかで、裏で会話を行うか、動作が中心となるか、どちらかはっきりわかるようにしよう。描写は細かく具体的に。専門用語は避けること。とはいえ、プロセスに独自の言い回しがあるなら、使ってもいい。どんな過程・経過であれ、さまざまな手順を読者にはっきり示そう。ただし、そのものがそもそも何であるかは、すぐわからないようにしておくこと。

第 10 章

詰め込みと跳躍

Crowding and Leaping

底荷を下ろしたら
まもなくわれらも上陸だ。

If we dump the ballast
we'll be there in no time.

本書に収めた練習問題を最初に試したのは実地のワークショップであるが、そうした講座で教えていると、語りの技術について、まだ示していない要素があることがだんだんわかってきた。ここでは、物語に含まれるものと省かれるものの話をしたい。すなわち細部（ディテール）を取り上げるということで、ひいては焦点――つまり文や段落や作品全体の焦点について触れる必要がある。この点を個人的には〈詰め込み（クラウディング）〉と〈跳躍（リープ）〉と呼んでいるが、それはこの言葉がこのプロセスの運動をうまく言い表しているからで、自分もこの言い方を気に入っている。

詰め込みというのは、キーツが「あらゆる隙間に黄金を詰めよ」と詩人たちに言うときの真意と同じだ。つまり書き手自身の自戒として、締まりのない言葉遣いや紋切型（クリシェ）は避けること、十の曖昧な言葉に対して的確な言葉が二になるようなことはしないこと、たえずあざやかな言い回しや的確な語を心がけることである。わたしとしては詰め込みという言葉で伝えたいことはほかにもある。たとえば物語をそのなかの出来事でいっぱいに、たえずいっぱいにすること、見当違いの方向でぐずぐずうろうろせずに物語を進行させ続けること、前後でしきりにエコーをひびかせながら物語を相互に連結させること、などだ。鮮明かつ的確、具体的で正確、凝縮されて豊か——こうした形容詞が示すのは、刺激や意味やほのめかしの詰まった文体のことである。

とはいえ跳躍も同じく大事だ。飛び越えるとは、省くということ。省けるものは、残すものに比して際限なくたくさんある。語のあいだには余白が、声のあいだには沈黙がないといけない。列挙は描写ではないのだ。関係のあることだけがあるべきである。神は細部に宿るという人があるが、悪魔が細部に宿るという人もいる。どちらも正しい。

　あらゆるものを描写に盛り込もうとすると、果てにはボルヘス「記憶の人、フネス」のあわれな同名主人公のようになってしまう（未読なら心からおすすめする）［邦訳：鼓直訳『伝奇集』（岩波書店）］。詰め込みすぎの描写は物語を行き詰まらせ、自分の首を絞めるのだ。（言葉のせいで窒息死した小説の例としては、ギュスターヴ・フローベール『サラムボー』［邦訳：中條屋進訳（岩波書店）など］を見るといい。フローベールはこの種の典型例だとされており、その得意の至言（モ・ジュスト）*も陳腐な標語となっていて、あわれにもこの男が、至言ばかりの泥沼にハマった元祖になるさまを目撃するのも、勉強にはなる）

執筆計画としては、初稿ではどんどん進めて詰め込んでいくのがいいだろう——語り尽くし、べらべらぺちゃくちゃ、全部を入れるのだ。そのあと書き直す際に、物語の引き延ばしや繰り返し、遅延・妨害となっているものを意識して、その点を削除する。価値のあるもの、語りになるものを見極めて、残ったものが大事なものだけになるまで削ったりつなげ直したりしていこう。大胆に跳躍するのだ。

アクションを書くときには詰め込んでしまうことも多いが、そうすると速度や距離が足りなくて跳躍し損なってしまう。殴り合いや戦闘や競技試合などの描写はみんな読んだことがあると思うが、応酬の一挙一動を説明してしまうと、ただ混乱と退屈が生じるだけだ。ほとんどのアクションが型通りで似通っていて——主人公が騎士一人の首を刎ねね、その次また次と——ただの暴力では面白くならない。

アクション執筆の見事な例なら、パトリック・オブライアンの〈英国海軍の雄 ジャック・オーブリー〉シリーズの海戦のどれかひとつでも見るといい。読者の知る必要のあることがすべて含まれていて、過不足ない。一瞬一瞬そのたびに、現在地と現状が的確に理解できる。ひとつひとつのディテールが描写を豊かにし、アクションを俊敏にする。言葉遣いも直截だ。感覚や感情も激しいながら簡潔明快である。だからこそ、終わりまで読むのを止められない。

実例十八

まさしく手練れの作家が、ほんの数語でそれこそ長い物語を語りきるのは見事なものだ。ヴァージニア・ウルフがフロイド氏の生涯を語る実例十八をぜひ検討してみよう（学校の校長であるフロイド氏は、フランダース夫人の六歳年下で彼女に求婚しているが、彼女はアーチャー、ジェイコブ、ジョンという息子がいる未亡人だ）。

ヴァージニア・ウルフ『ジェイコブの部屋』より

「まさか結婚だなんて！」と苦々しくひとりごちながら、彼女は一本の針金で出入口の柵を固定した。赤毛の男なんて毎度苦手だったと思い出しつつ、彼女がフロイド氏の容姿のことを考えたのは、男の子たちが寝付いたその夜のことだった。そして裁縫箱を押しのけつつ、吸取紙を手前に引き寄せて、フロイド氏の手紙をまた読むものの、確かに〈愛〉という言葉のところに来ると、自分の胸が上下したが、今度はそこまで速くはならなかった。ガチョウを追いかけるジョニーを目にして、誰かと結婚だなんてどだい無理だとわかったのだ――ましてやフロイド氏とだなんて、自分よりもずいぶん年下だし、でも素敵な殿方ではあって――あれほどの学者でもあり。

「親愛なるフロイドさま」と彼女は書いた――「あっチーズ忘れたかも」とふと思ってペンを置いた。いいや、自分でレベッカにチーズは玄関に置いておくと言ったではないか。

「わたくしたいへん驚きました……」と彼女は書いてゆく。

　ところがフロイド氏があくる早朝に起床して卓上に見つけた手紙の出だしは、「わたくしたいへん驚きました」ではなく、実に母親らしいもので、混乱しながらも敬意を忘れず、残念を申し上げる手紙であったから、彼は長年それを大事にした。アンドーヴァーのウィンブッシュ嬢と結婚したずっとあとでも、村を離れたずっとあとまでも。というのも、彼は希望していたシェフィールドの教区づとめが叶ったからだ。お別れだとアーチャーとジェイコブとジョンを呼び出して、思い出代わりに書斎から好きなものを何でも所望してよいとした。

　アーチャーはペーパーナイフを選んだが、それは上等すぎるものを遠慮したからだった。ジェイコブは一巻本のバイロン全集を所望した。まだ幼くてまともに決められなかったジョンは、フロイド氏の子猫をねだってしまったので、バカなものを選んだと兄たちは思ったが、むしろフロイド氏は賛同して「きみに似た毛並みだものね」と言った。それからフロイド氏は英国海軍（アーチャーの希望進路）の話、そのあとラグビー校（ジェイコブの希望進路）の話をした。そのあくる日、彼は銀皿を拝領して去り――まずはシェフィールドへ行って、当地で叔父を訪ねていたウィンブッシュ嬢と出会い、そのあとハクニーへ――次にマースフィールド校に着き、そこで校長となってとうとう聖職者偉人伝という有名な叢書の編者となったあと、妻と娘とともにハムステッドに隠居、今では羊足池（レグ・オヴ・マトン）でアヒルに餌やりしているところがよく見られている。フランダース夫人の手紙については――先日探してみたが見つからず、妻に処分したかどうか訊くのもすすまなかった。最近ピカデリーでジェイコブを見かけたときは三秒で彼だとわかった。とはいえジェイコブが実に立派な青年に成長していたから、路上であえて呼び止めることはしなかった。

「まあ」とフランダース夫人が声に出したのは、『スカーバラ＆ハロゲート新報』で、尊師アンドルー・フロイド云々がマースフィールド校の校長になる旨を読んだときのことだった。「きっとあのフロイドさんね」

　やや重たい空気が卓上に下りた。ジェイコブはジャムを好きにつけているところで、台所では郵便配達員がレベッカに話しかけており、開いた窓辺でそよぐ黄色の花に一匹のハチがぶんぶんしていた。つまりはみんな元気だった。かわいそうなことをしたフロイド氏がマースフィールド校の校長になろうというのに。

フランダース夫人は席を立って、炉格子のそばに寄り、トパーズの耳裏のうなじをなでてやった。

「かわいそうなトパーズ」と彼女は言った（フロイド氏の子猫は今やずいぶんな老猫で、耳裏に小さな疥癬があるから、じきにその日が来れば亡くなってしまうだろう）。

「かわいそうなトパーズおじいちゃん」と言うフランダース夫人のそばで、猫はひなたぼっこをするので、彼女はほほえみながら、去勢してもらったときのことや、赤毛の男が苦手だったことを思い出した。ほほえみながら、台所へと入っていった。

ジェイコブは、ちょっと汚れたハンカチで顔をぬぐった。階段を上がって自室へ行った。

さて、この途中一段落でさっと終わる伝記のいちばん重要かつ衝撃的な点は、フロイド氏その人のことが本題ではないことだ。そこにありはするけれども、むしろこの小説の表題人物であるジェイコブに（つまりジェイコブの世界に）、そしてこの本の始まりと終わりにその声がひびく、ジェイコブの母親に光を当てるためにある。この一節はおふさげ半分にも見えるし、実際そうだ。脱線、無駄話にも思える。そもそも『ジェイコブの部屋』の大半がそうだ。本体は何もない。ウルフは説明を省略し、つながりはできるままに任せる。詰め込みと跳躍を使った極端かつ見事な実例をゆうゆうとやってのける。この小説では一度に何年も跳躍し、主人公の人生がものすごい勢いで省略されていく。そもそも彼は視点人物となることがほとんどなく、むしろ彼とそれとなく類縁がありそうなおおぜいの人たちの生き生きとした心のほうへと入っていく。筋書きはなしで、構成としても小景と小事件が一見ランダムに続いていくばかり。それでいてこの本は、最初の一語からあの呆然とする結末まで、ギリシア悲劇のように確実かつ着実に進行していく。何を語るにせよ、ウルフの焦点はいつもジェイコブで、その中心から逸れることなく、この本のあらゆるものが、語らねばならぬ物語に資するものとなっている。

この種の〈逆説的焦点〉の練習は、練習問題⑨の問三「ほのめかし」（一九四ページ）と追加問題二問の目的の一部にもなっている。

物語についての議論

物語(ストーリー)とは、（外界なり内面なりの）複数の出来事を、時系列の進行かそれとない時間推移とともに変化を伴うものとして語ることであると、個人的には定義している。

そして筋書き(プロット)とは、行動(アクション)を（通常は対立形式のなかで）その様式として用いつつ、（通常は偶然の結びつきとして）ある行為を次の行為へと密接かつ複雑につないで、最後には最高潮(クライマックス)を迎える物語の一形式であると、個人的には定義している。

盛り上がれば一種の快感となり、筋があれば一種の物語ができる。しかも形の整った力強い本筋(プロット)があるなら、それだけで快感である。世代を超えて繰り返し使われうるものだ。駆け出しの書き手にとっては、計り知れないほど貴重だと思える枠組みにもなる。

ところが、現代の非娯楽作品(シリアス・フィクション)のほとんどは、一本の筋にまとめることができないし、そのままの言葉以外で語り直そうものなら致命的に損なわれてしまう。物語は何かの筋ではなく語るなかにあるわけだ。語ることそのものが進行し流れていく。

現代風の執筆マニュアルでは、物語と対立関係(コンフリクト)［内心なら葛藤、外界なら衝突のこと］とを一緒くたにしていることも多い。こうしたまとめ方はひとつの文化を反映するもので、攻撃性と競争心をあおりながら、ほかの態度がありえることを無視するように仕向けるあり方を示している。複雑な語りは、単体の要素の上には築けないし、そのようにまとめることもできない。対立は態度の一種ではある。人の生には同様に大事な態度がほかにもあり、たとえば関わること、気づくこと、失うこと、耐えること、見つけること、別れること、変わることなどもありえるのだ。

変化は、物語の生まれるあらゆる源泉に共通する要素である。物語とは、何かが進行すること、何かが起こること、何か誰かが変化することだ。

物語を綴（つづ）るにあたって、必ずしも筋を立ててがっちり構成しなくてもいいが、〈焦点〉は必要だ。何についての物語か？　誰についての物語か？　明示していようが暗示していようが、とにかくこの焦点こそ、物語の出来事・登場人物・発言・行動のすべてが最初から、または最終的に向かう核となる。簡単なものかどうか、ひとつきりかどうか、ものか人か考えか、そうかもしれないし、そうでないかもしれない。定義できないこともあるだろう。複雑な題材なら、物語全体で言葉を尽くすほかには、おそらくどんな言い方でも表現できないはずだ。でも確かにそれはある。

そして同じく物語に必要となるのが、ジル・ペイトン・ウォルシュが〈軌道径路（トラジェクトリー）〉と呼ぶものだ――必ずしも進行用のアウトラインやあらすじではなく、これはむしろ進行用の動線である。つまりは流れの具体的なかたちだ——まっすぐ進むのか、曲がりくねるのか、循環するのか、偏心運動なのか、止まらない流れなのか。まったく（またはしばらく）逸れる道のないものから、あらゆる道がある意味で資するようになるものまである。この軌道径路が、物語全体のかたちとなる。終点までずっと進行し、そしてその終点は、始点でほのめかされている。

　詰め込みと跳躍も、焦点と軌道径路に関係してくることとなる。感覚・理解・感情の面で物語を豊かにしようというなら、詰め込むものはすべて焦点が合っていないと——つまり物語の核となる焦点の一部となっていないといけない。そしてあらゆる跳躍は、軌道径路に沿って、全体のかたちと流れに合わせたものになっていないといけない。

　物語について考慮すべきことがこんなにも大きくなると、ぴったり合う練習問題は思いつけそうにない。とはいえ、あまり好みではないかもしれないが、誰しもに役立つ最終問題がひとつある。題はこう言うしかない。

〈練習問題⑩〉むごい仕打ちでもやらねばならぬ

ここまでの練習問題に対する自分の答案のなかから、長めの語り（八〇〇字以上のもの）をひとつ選び、切り詰めて半分にしよう。

合うものが答案に見当たらない場合は、これまでに自分が書いた語りの文章で八〇〇～二〇〇〇文字のものを見つくろい、このむごい仕打ちを加えよう。

あちこちをちょっとずつ切り刻むとか、ある箇所だけを切り残すとかごっそり切り取るとか、そういうことではない（確かに部分的には残るけれども）。字数を数えてその半分にまとめた上で、具体的な描写を概略に置き換えたりせず、〈とにかく〉なんて語も使わずに、語りを明快なまま、印象的なところもあざやかなままに保て、ということだ。

作品内にセリフがあるなら、長い発言や長い会話は同様に容赦なく半分に切り詰めよう。

この種の切り詰め作業は、プロの作家なら一度や二度はやる羽目になるものだ。だからこそ、いい練習になる。それでいて実際に自己鍛錬にもなる。啓発だ。自分の言葉を天秤にかけよと迫られて、どちらが発泡スチロールでどちらが重い黄金なのかに気づかされる。手厳しい切り詰め作業のおかげで、むりやり詰め込みと跳躍をさせられて、自らの文体がさらに強化されるのだ。

いつになく自分の書き癖を抑えていたり、書きながら切り詰められるくらいの知恵や経験があったりしない限りは、書き直す羽目になるとおおむね、繰り返しや不要な説明などの削除がいくらか必要になってくる。仕方がない、ないなら無くしてもいいものを考える機会として、あえて書き直しを使うのだと意識するといい。

そこに、自分のお気に入りでいちばん美しく見事な文や一節がいくつか含まれていても、おかしくはない。そういうものを削るときには、泣いたってわめいたって構わない。

アントン・チェーホフは、物語の書き直しについてこう助言している――いわく、冒頭三ページをまず投げ捨てよ。わたしも若手作家のころ、短篇小説のことがわかっている人がいるとすれば、それはチェーホフだと思って、この助言を採り入れてみた。実のところ間違いであってほしいと願っていたが、もちろん彼が正しかった。むろん物語全体の長短で分量は変わってくる。ごく短いなら、投げ捨てるのは三段落だけでいい。とはいえ、チェーホフのカミソリに当てはまらない初稿など、そうないはずだ。物語の始めたてでは、誰しもその場でぐるぐる回って、たくさんのことを説明し、導入の必要もないものを導入しがちである。そのあと自分の道が見えてきて、進みだし、そして物語が始まる……だいたいそれが三ページ目くらいだ。

書き直す際、出だしが削れるなら削れというのが、大まかなルールである。何かの一節が主径路をよそに、ある方向へ突き出てしまい、どうやらものになりそうな場合は、そちらを採ってその方向性で物語がどんなふうになるか確認するのもいい。ひどい穴が残りそうな切り詰め作業が、継ぎ目なくつながることもよくある。あたかも物語に、作品そのものに目指すかたちがあり、冗漫なところさえすっきりさせれば、そのかたちになってくれるかのようだ。

波止場からさよならと手を振る

技芸（アート）を制御（コントロール）の問題と見なす人がある。わたしは、技芸を自己の制御の問題と見ている。つまりはこんなふう――わたしのなかに、語られたがっている物語がある。それがわたしの目的であり、自分こそがその手段だ。もし自分で自己と自我を、自分の願いや意見を、心中のくだらないことを、邪魔にならないよう何もかも追い出した上で、物語の焦点を見つけ出し、物語の流れに従ってゆけたのなら、きっと物語がおのずから語り出す。

本書で話してきたあらゆることは、物語に自らを語らせるための準備に関わり合うはずのものだ。技術を得ることも、技巧を知ることも。それがあれば、魔法の船がやってきたときにも、そこに乗り込んで舵がとれよう——その船の行きたいところへ、その船の行くべきところへ向けて。

付録：
合評会の運営

Appendix: The Peer Group Workshop

いわゆる〈クリエイティヴ・ライティング〉の座学授業は、機能不全に陥ることがあまりに多すぎたが、それに取って代わった執筆ワークショップは、相互学習の原則に基づいた実用的な訓練のおかげで、ちゃんと機能している。

つまり、ルールにしっかり沿ってやるなら、うまくいくわけだ。ただし、一緒に励む際に必要となる自制心なんて、自分の才能に対する枷（かせ）となるから耐えられないと――そう思うような自由な気質の人間の場合は、参加型の講習会から得るものがないだろう。二十か二十二歳ごろの自分を考えてみると、当時そうしたものがあったとして、合評という訓練方法をすんなりと受け入れていただろうかと思うことがある。なかったわけだけれども。指導員や合評会*から学ぶ執筆ワークショップは、自分が大人になってずいぶん経ってから考案されたものだ。確かに今の時代には、ショートメッセージ機能やケールチップスなどいろいろな新しいものがあるわけだが、そちらは個人的にあまり食指が動かない。

オンラインでのワークショップは、何らかの事情で定例会に参加できなかったり、対面では他人と会えなかったりする書き手にとっては、貴重な機会にもなる。遠隔地にいながらも、家から出られないながらも、執筆・批評・会話をほかの書き手と共有したいと強く願っている人にとって、オンラインでの集まりを結成したり、すでにあるグループへ加入したりすることは、大きな意義を持ちうるものだ。実地のワークショップなら、講師としても参加者としても個人的な経験があるわけだが、実際の会合に対してここで述べるわたしの一般的な見解や助言も、きっと若干の修正を加えれば、オンラインで交流するヴァーチャルな集まりの運営手続きに応用できると思う。

参加者の構成

合評会の参加者は、おそらく六、七名から十、十一名くらいまでが最適人数だろう。六名を下回る集まりでは、出てくる意見の種類が少なすぎたり、出席者がたった二、三名ということになったりしかねない。グループの人数が十二名以上になると、準備として毎月読む量もたいへんになる上に、どうしても一回の会合が長くなってしまう。なお、例会を月一回として、事前に会合の日程を決める集まりがほとんどだ。

合評会がいちばん効果的なのは、参加者全員の実力がかなり揃っている場合である。中身の多様性はあっていいし、むしろそのほうがありがたい。ところが、まじめに技巧を磨いている参加者が、ちゃんと取り組まずにふざけてばかりいる参加者と一緒にやろうとしても、やる気がそがれてしまうし、そのふまじめな相手にしてもまじめなやつにはうんざりしてしまうわけだ。経験を積んだ書き手からすると、初心者の作品を論評しなくてはいけないなんて搾取だ、と感じるかもしれない。初心者のほうでも、自分よりも経験値が高い書き手に、ひるんだり威圧感を覚えたりすることがあるだろう。文体についての基礎的な素養に大きな差があると（たとえば句読点・文構造や綴りも含めてだ）、その格差がひどく居心地悪いものともなってしまう。ただし、差が大きくても居たたまれない気持ちにまったくならない集まりもある。大事なのは、適切な集団、つまり自分が信頼できる人たちを見つけることだ。

原稿の扱い

かつては紙・切手・時間などが必要となる手続きだったが、所属グループに原稿を送るのも、今では送信ボタンをクリックするだけで事足りる。対面の集まりなら、例会なり決めた日取りなりの少なくとも一週前に全員に原稿が行き渡るといいだろう。そうすれば、原稿を読んで検討した上でコメントもつけられる。原稿の提出が遅れると、次回まで論評の対象とならないこともある。ヴァーチャルの集まりなら、原稿が送られた時点で論評を始めてそのまま相互にメールのやりとりをするか、読書・論評・自作執筆の時間が限られているメンバーを考慮して話し合いを一定期間に絞るか、決めておくとよい。

おすすめは、示し合わせて会合一回ぶんの提出原稿に分量制限をつけておくことだ。いったん適切な分量がわかったなら、しっかりそれを守ろう。枚数制限ではなく文字数制限にするのが一案である。というのも、冗長な文章を書く人が、わざとフォントを小さく余白を狭くして、一ページに文字をぎゅうぎゅう詰めにしかねないからだ。

対面の集まりで、論評に先だって各原稿を数ページ声に出して読み上げることにグループ全員が賛成できるのなら、ぜひともやってほしい。作者本人の声が作品の〈解説〉になる現場は、聞くほうとしても楽しめることが多い。詩のワークショップでは、声に出して読むのが標準的なやり方だ。とはいえ物語を書くグループでは、時間がかかりすぎる場合もある。声に出して読むのは一種のパフォーマンスだから、欠点やあやふやなところがかえって見えにくくなることもある。読むのが早すぎると、ほとんどの聞き手が論評用のメモをうまく取ることさえできない。すると結局は、大半の物語の常として、黙読することになる。作品のつとめとは、紙面で自らを解説し、おのずから語りだし、出版するか否かを決める編集者や、刊行されたものを読む読者全員に、作品そのものを〈聞かせる〉ことである（そのあと、ヒットすれば朗読やオーディオブック版が出たりする）。まじめに書かれたものなら、ひとり静かにまじめに読んで考えるだけの価値がある。そんなふうにゆっくりと黙ってじっくり考えながら読まれるのなら、そのグループ内で最大限に尊重されているのだと、個人的には考えたい。

原稿を読む上で

全員が書き、全員が読む。これこそ会合の成立がかかっている基本ルールだ。ほかの参加者の作品を読むことは、自作の執筆や提出と同じくらいその集まりにとって大事なことである。うっかり読み落としたり、読むのが遅れたり、読み誤ったりするのは、たまにある例外だけ許される。

細かい指摘、綴りや文法の修正、ささいな疑問点は、原稿へじかに書き込んでおくのがいちばんいい。そうすれば作者はあとで時間のあるときに立ち返って検討できる。

オンラインの集まりでも、このやり方で何とかなるはずだ。一案としては、全員が自分のコンピュータで同じ執筆ソフトを使うことである。

論評を行うにあたって

見苦しくも便利な専門用語だが……論評は執筆サークルの核となる機能だ（これと並ぶ機能が原稿の〆切代わりになる点）。

オンラインの場合は現状、オンライン会議システムを全員で使うのでなければ、論評は書くほかない。対面の集まりなら、メモやコメントを原稿に書き込んだり直接渡したりできるわけだが、やはり口頭での論評や意見交換には代えがたい。集まって合評を行うと、話し合いのなかからグループ全体に相互の変化と影響が出てくるので、やはり作者にとって貴重な機会となることが多い。

①交代制

全員が全作品を論評する。

オンラインなら、論評は送られてきたときに読めばよく、順番は重要でない。一方で実地の会合なら大事になってくる。提出された各原稿は代わる代わる論評されるのだ。（作者をのぞく）集まりの全員が交代で発言する。

理想としては、自由に論評を交わしてもらうのもいいのだが――しゃべりたがる人だけが、時間の際限なく順番も関係なく、やってしまったりする。それでも試みるというならまず、ずっと黙り込んだり延々しゃべったりする人を作らないことと、誰かの仕切りや独擅場にしないことを、全員が留意すべきだ。お互いへの尊重と信頼が、合評会には絶対に必須なのである。それぞれ勝手に論評させると、エゴの肥大化した者が控えめな者を黙らせることになってしまう。何年も定期的にお互いを論評している合評会の多く（おそらくほとんど）で用いられているのが、右回りに交代していくやり方で、これがいちばん公正で、最もストレスが少ない。

②マナー

論評の際には毎回、

・簡潔に
・誰からの横やりもなく
・作品の重要な点に関することに限って（ささいな間違いの指摘は原稿への書き込みで済

ませて）

・人格攻撃しないこと。（勝手に作者の性格や意図をわかったつもりになるのは、まったくの見当違いだ。話し合いの対象となるのは書き手でなく文章である。その作品が自伝でも、「あなたは」ではなく「語り手は」と言おう）

自分の順番が来て、論評について声に出したり電子メールを書いたりする際には、他者の論評を挑発するようなことは避けること。鼻で笑うのもなし。やりこめるのもダメ。毒舌はもってのほかだ。

人の発言を復唱せずに話を広げよう。ジェインの意見に賛成なら、そう言う。ビルの言い分に同意できない場合は、その旨を言うときにも他意なく、不同意の根拠と理由を説明すること。

覚えておいてほしい――最初の印象、すなわち初読の反応は、たとえ誤解でもきわめて役に立つことがある。結局のところ、作者が編集者に作品を提出・投稿する場合、すべては編集者の最初の印象次第でもある。素朴な感想や疑問を言ったり送ったりするのをくだらないと思ったりせずに、その発言にせよ文章にせよ他意がないよう気をつけた上で、原稿の改善をただひとつの目的とするといい。

批評は悪いところに焦点を当てがちである。役に立とうとするなら、否定的な批評でも改善の可能性を示すべきだ。書き手に対して、ややこしいところ、面食らうところ、いらいらするところ、または楽しいところ、いちばんお気に入りの箇所などを伝えよう。少なくとも、うまくいった点や適切な点を他人から聞けると、作者にも有益だ。

作品のクオリティ全体に否定的な判断を下すにも、ひどい言葉遣いをすれば、作者が怒って聞く耳を持たなくなることもあるし、実際に傷ついて長く引きずってしまうことさえある。作品をまったく価値なしとこき下ろす権限があると思い込み、批判する側の意見が絶対なのだと考え、悪口こそがアーティストを育てるのだと決めつけている――そんな批評家の加虐欲から来るふるまいは、どれもいまだにあるわけだが、ワークショップでは何であれ入る余地はない。お互いの信頼と尊重を旨とする合評会は、威張りたがりのエゴとその自虐的な追従者のどちらにもお引き取り願うものである。

伝えるのは本人に対してであって、他人ではない。

作者に対して、事実関係をじかに〈はい・いいえ〉で尋ねるのもいいだろう。また、まずグループ全体で問いを共有してから、尋ねていいか全員の同意が取れたときのみ、訊くかたちにしてもいい。こうする理由としては、集団内のほかの人物からすれば答えてほしくない質問があったりするからだ。たとえば、「つまり作品の意図として、読者にはデラの母親が誰かはわからない、ということでしょうか？」と訊いてみたいとする。でも、作者は知り合いでなく質問もできない、という状態のままでテクストそのものを読みたいし（読者が物語を読む際にはたいていそうだ）、その前提で作品を判断したい、という人もいるかもしれない。それから、長い説明や弁解が必要になるような質問は作者に対して訊かないこと。テクストがその疑問に対して答えていないのなら、当該の問題に対する注意喚起をコメントとして付けておく、というのが、できるなかでもいちばん有益なことで、そうすれば作者もあとで書き直すときに修正できる。

何らかの修正案は確かに貴重だが、敬意のある提案を心がけよう。自分には修正すべき方向性がわかっているという確信があっても、その物語はあくまで作者のものであって、自分のものではない。

その物語について、あの文学作品や映画を思い出すよね、などと口に出してはいけない。そのテクストをひとつのものとして尊重しよう。

その物語の扱っていることについても考えよう。何をしようとしているのか、それをどんなふうに実現しているのか、どうやればその目的をもっとうまく果たせるか。

毎度の論評が長たらしくなるメンバーがいるなら、実際の会合にキッチンタイマーを持ち込んで、各人の論評を数分に制限する必要がある。ヴァーチャルの集まりの場合は文字数制限だ。自分勝手でべらべらしたうんざりする論評を大目に見るグループは、きっと長続きしないだろう。濃度が大事、相互作用が肝要なのだ。

対面の集まりで各人の論評が短くまとまったのなら、会合の締めくくりとして全体で自由に話し合ってもいいし、それが会でいちばんいいところになることも多い。オンラインの意見交換でも同じようなことができると思う。こうした自由な討論で、グループに〈会合をやったという実感〉が生まれたりする。それでいて十人それぞればらばらの意見になることもあるが、それこそまさにわくわくして役立つものにもなるのだ。

論評されるにあたって

沈黙のルール――会合の前も最中も、合評の対象となる物語の作者は、沈黙すること。

作者として、前もって説明や言い訳をするのもなしだ。

質問された場合は、その返事を聞きたいのが全員の総意か確認したあとで、失礼にならない程度にできるだけ簡潔に述べること。

論評されているあいだは、そのときはバカげたコメントに思えても、物語に対する発言をしっかりメモしよう。あとからわかることもある。いろんな人からどんどん出てくるコメントを全部メモするのだ。オンラインの論評でも同じようにすること。

自作の話し合いが一通り終わったあと、発言したいのならしてもよい。その場合も手短に留めること。そして弁解しようとしないこと。自作について出てこなかった疑問点があるなら、そのときに自分から尋ねてもいい。そして一生懸命論評してくれたみんなにかけるいちばんの言葉は、もちろん「ありがとう」だ。

沈黙のルールをやるかどうかは、個人の自由だと思うかもしれない。それは違う。必須であり、時としてこの手続きに不可欠な唯一の要素にもなると思う。

作者としては自作が批評されると、どうしても弁解しようと、ムッとして言い訳や口答え、反論がしたくなるものだ——「いやでもその、自分の真意としては……」「いや次に書き直すときにそうしようと思ってて」。こういう反応は禁止しておくと、そんなことのために（自分や相手の）時間を無駄にしなくて済む。その代わり、しっかり話を聞くようになる。口答えできないので、あとでどういう返答をしようかと、その場で頭をめいっぱい使わなくてもよくなる。できることは、耳を貸すことだけ。人が自作から受け取ったこと、もうちょっと頑張ったほうがいいと思われる点、作品に対する他人の誤解や理解、好き嫌いなどが聞こえてくる。それこそがその場にいる理由だ。

オンラインの場合、沈黙のルールを守って論評への返答をつけないようにすると、論評する者同士がお互いに返信を付け合うようになる。一同の批評が、この意見交換を通じて変化発展し、深まっていくこともよくある。こちらのつとめは、その流れを読んだ上でしっかり考えながらメモを取ることだ。そして最後に感謝を告げよう。

どうしても沈黙のルールに我慢できないのなら、真相はおそらく、自作に対する他人の意見がどうなのか、知りたくもないということだろう。むしろ自作の審判は最初から最後まで自分だけと心に決めてもいい。この場合、たまたま自分には集団が合わなかったのだ。それでも全然構わない。気質の問題だ。ひとりでないとできないたちのアーティストもいる。芸術家の人生には、複数人からの刺激やフィードバックが必要な時期もあれば、ひとりのほうがうまくできる時期もある。

いつだって、最後の検討の際には（個人であれグループであれ）、自分が自らの審判となって決断を下すことになる。技芸の修練は自主自由を旨とする。

用語集

〔日本語版で追加したものは、★を付す〕

暗喩・隠喩〔metaphor〕：類似点や描写をほのめかすもの。〈AはBのようだ〉と言う代わりに、〈AはBだ〉と述べるか、またはBを用いてAに言及する。すなわち、「その女は子羊のようにおとなしく素直で愛らしい」ではなく、「その女は子羊だ」と言うわけだ。「牛があちこちの草をちょっとずつ食むように、わたしもあちこちちょっとずつ読んでいる」というのが、「わたしは本全体からつまみ食いしている」となる。

　言語の用法は大半が、ある種の暗喩である。侮辱のほとんども暗喩だ——「お前なんか飾り罫だ！」「このおなら野郎」。書き手が警戒すべき一事は、陳腐で廃れた隠喩である。ただし組み合わせると、実に生き生きしてくる——「この部署は全員、今後、衣帯不解で（プット・オン・シンキング・キャップ）ツボを外さず（ゲット・ダウン・トゥ・ブラス・タックス）、朝飯前に（キック・アス）事をなさねばならぬ」。〔慣用句を文字通りに解釈した場合の面白みを考慮している〕

意識の流れ〔stream of consciousness〕：小説家ドロシー・リチャードソンとジェイムズ・ジョイスによって発展した創作の一様式ないし声の一種であり、視点人物の経験・反応・指向をその瞬間ごとに読者が共有していくもの。長篇小説の最初から最後まで通しで用いるとたいへん窮屈だが、長い作品の一部で意識の流れを用いるのはよくあることで、効果的でもある。またこの様式は、短篇や現在時制の語りにかなり適している。

韻律〔meter〕：定型のリズムや拍（ビート）。うん・たん・うん・たん……た・ダン・た・ダン・た・ダン……ちぢ・ダン、ちぢ・ダン、ちぢ・ダン・ダン・ダン……散文でも数語以上立て続けに韻律を展開させると、本人の意図とは関係なく、もう散文ではなくなって詩になってしまう。

埋め込み節〔embedded clause〕：節〔clause〕を参照。

オノマトペ〔onomatopoeia〕：その意味が音で表されているような言葉。英語ならたとえば、〈sizzle〉［水・水分の蒸発音で、怒りの転義がある］、〈hiss〉［威嚇や対人的な不快感に用いるシーッという音］、〈slurp〉［飲食物をすする音］。オノマトペという言葉も、オノ・マト・ペのようにひびく。［いわゆる擬音語・擬態語だが、英語から日本語への翻訳時には音よりも意味が優先されて訳されがちである］

飾り罫〔dingbat〕：飾り罫についてはもうそれなりにご存じのはず。飾り罫とは、本文の改行部分を飾ったり強調したりするために用いられる小型の図形や図案のこと。たとえば、このように。

＊　＊　＊

合評会〔peer group〕：定期的に集まって、お互いの書き物を読んで話し合う書き手の集団。指導者のいないワークショップを形成する。

感傷の誤謬〔pathetic fallacy〕：この語句は（偉そうに用いられることがかなり多いが）、風景・天候などに人の感情が反映ないし体現されている文章の一節を説明するときに用いる。［たとえば、嵐で激怒を表現し、孤独を断崖の突端で示唆する、など。本来は、感情のないはずの無生物に擬人化された感傷を適

用する誤謬や虚偽に対して用いられた語〕

口語〔colloquial〕：書き言葉（文語）に対する話し言葉のこと。執筆においては、発話の口調をそれらしく真似た、気楽でくだけた筆致。本書の実例で挙げたマーク・トウェインの二作品が、口語調の文章として素晴らしいものである。たいていの語りは、あまり形式にこだわらないものであっても、そこまで口語らしくはならない。

構造〔armature〕：高層建築の鉄骨のような構造物。〔ここはむしろ統語構造〔syntactical armature〕に対しての説明が欲しいところ。単語を文にする配列規則に従った文章構造のことを統語構造といい、おそらく物理法則に従った建築構造がここでイメージされている〕

構文〔syntax〕：「(2)文における語の結びつきと関係が示される（適切なかたちでの）諸語の配置」――『ザ・ショーター・オックスフォード・イングリッシュ・ディクショナリー』

構文構造の見分け方は、かつて図示（ダイアグラム）という手法で教えられており、これはいかなる書き手にも役立つコツである。文の図示方法がわかる古い文法書が見つかるのなら、ちょっとのぞいてみるとよい。勉強になる。そうした図案化のおかげで、（馬のように）文には骨格があり、骨がひとつにまとまっているために、文が（馬も）正常に動くことがわかることだろう。〔かつてアメリカでは、初等教育にセンテンス・ダイアグラムという線による図式化が活用されており、邦語文献では、原仙作『英文標準問題精講』（旺文社）などが採用していた。図で構文を示す手法としては、今でも自然言語処理やプログラミングで用いられる構文木や構文図式がある。また簡略化されたブロックや箱、バルーンを組み合わせることもある〕

こうした語の配置と結びつきと関係に対する鋭い感覚は、語りの文の書き手にとって不可欠な道具となる。構文のルールをすべて把握する必要はないが、それを耳や目で判別する力は鍛えておかなければならない。そうすれば、文がもつれて顔から転倒しそうになっている事態や、文がはっきりと自在に流れている状態も、把握できるというものだ。

散文★〔prose〕：［韻律のある詩（韻文）と対比して、普通の文章のことを指す際に用いる言葉。英語では形容詞（prosaic）や副詞（prosaically）で、〈散漫な〉あるいは〈面白みに欠ける〉というニュアンスになることも。本文中では誤解・誤読を避けるため、単に〈文章〉〈文体〉と訳出した箇所もある］

至言〔mot juste〕：〈至当な言葉〉を意味するフランス語。［否定的な文脈なら、格言調の言い回しをイメージしてもよい］

時制〔tenses〕：動作が起こると思われる時間を示す動詞の変化形のこと。

情動〔affect〕：名詞であり、英語では最初の音節にアクセントがある。大きく動く感情・情緒のこと。効果・結果（effect）とは異なる。［同綴りに動詞もあるが、その場合はアクセントが後ろになる］

節〔clause〕：節とは、主語（主部）と述語（述部）のある言葉のまとまりである。（A clause is a group of words that has a subject and a predicate.）

この文の〈節とは……言葉のまとまりである（A clause is a group of words）〉という部分は、そのままで文として成立する。この部分は主節と呼ばれる。その主語は、〈節（clause）〉という名詞だ。述語は〈である（is）〉という動詞で、さらに〈言葉のまとまり（a group of words）〉という直接目的語がある。そこが主節であるからこそ、このふたつが文全体の主語と述語であるとも考えられる。［日本語では名詞を体言、動詞等を用言、目的語等を補語とも言い、この文の場合は同様の関係が

成立する］

従属節は、それだけでは成立せず、主節とつながるものだ。前述の文では、〈主語と述語のある（that has a subject and a predicate）〉が従属節となる。その主語は“that”で、述部が“has a subject and a predicate”である。［日本語文では主部が〈主語と述語の〉、述語が〈ある〉に対応し、ここではやや関係がずれる］

節というものは、複雑な思考や状況を表現する際には互いの結びつき方も複雑となり、箱を開けるとまた箱が出てくる入れ子の箱のように、別の節のなかに入ることがあるが、これを〈埋め込み節〉という。［原著では、この段落もまた埋め込み節になっている旨の括弧書きの一文が続くが、省略する］

断片文〔sentence fragment〕：完全な文の代わりに、文の一部だけを用いたもの。

文は、主語・主部（名詞・固有名詞・代名詞）と述語・述部（動詞と目的語）から成る（この文の主語が〈文〉で、述部が〈主語・主部と述語・述部から成る〉である）。断片文では、主語か述語のいずれか、もしくはどちらもが欠けている。

断片文ゼロ！

どこへ？

遅刻、遅刻。

みんな会話ならいつでも用いているし、文章でもそうだ。ただし書き言葉では、省かれたものが、断片文の前後の文脈からはっきり示唆されていなければならない。語りのなかで、断片文を繰り返し用いると、ぎこちなくひびいたり、何かの情動があるかのように感じられたりする。［日本語では、文章でも断片文の許容度が高いが、それでもたとえば体言止めを多用するとこの最後の忠告と同じ事態が起こりやすい］

直喩・明喩〔simile〕：〈ような〉〈みたいな〉などを用いて類似点を示したもの――「彼女の顔

は七面鳥みたく真っ赤になった」「わが愛は赤い赤いバラのようだ」。直喩と暗喩の違いとして、直喩では類似点や描写がはっきりと示される――「わたしは鷹のような目で見据えた」。かたや暗喩では〈ような〉〈みたく〉といった語はなくなる――「わたしはカメラだ」

頭韻〔alliteration〕：「ピーター・パイパーがペッパーのピクルスをぱっとぺちった」は頭韻を用いた文。「ぎとぎとでごりごりのブタのガツがごっそりごろごろ」もそう。〔すなわち、主要な単語の先頭文字を同じ子音で重ねること〕

動詞の人称〔person (of the verb)〕：英語の動詞には、人称が六種ある。単数が三種、複数が三種。ここでは、規則変化動詞〈work〉と不規則変化動詞〈be〉の現在時制と過去時制の例を示す。

一人称単数：I work; I am / I worked; I was

二人称単数：you work; you are / you worked; you were

三人称単数：he, she, it works; he, she, it is / he, she, it worked; he, she, it was

一人称複数：we work; we are / we worked; we were

二人称複数：you work; you are / you worked; you were

三人称複数：they work; they are / they worked; they were

人称と単復が変化形に関わってくるのは、三人称単数の現在時制と、不規則変化動詞〈be〉の全人称の単数現在時制のみである。〔日本語では、人称は文法上の必須要素ではなく、述語（述部）の明確化として必要なときに表示される。人物を主人公とする物語では、その必要性が高まるため、要所要所で人称の利用が行われることとなる。なお、一〇一～一〇二ページで省略された例文は、過去時制に（she did it, he was there）、現在時制に（she does it, he is there）、「表現できる」のあとに（she was making a living before he'd even begun looking for a job)、「柔軟性に欠ける」のあとに（she is making a living before he even begins to look for a job）が入る］

品詞〔parts of speech〕：文章における用法から決まる単語の類別。たとえば、名詞・代名詞・動詞・副詞・形容詞・前置詞など。この言葉のせいで、学校時代の嫌な記憶がよみがえるかもしれないが、この語彙なしで文法を論じたり、文法の議論を理解したりするのは無理である。

プロット・筋書き★〔plot〕：［物語の展開や順序を示した一本の筋のこと（そのなかに設定も含むことがある）。導入や盛り上がりなどを計算して、一定の型も考案されている。本文中の文脈によって、筋・筋書き・本筋・筋を立てること、などの語句でも本文中では訳出している］

文法〔grammar〕：言語の基礎システムのこと。言葉を使ってちゃんと意味の通る文を作る際のルール。このルールを知らないのに文法感覚が優れている人も、いるにはいるだろうが、抜け目なくこのルールを破りたいなら、ルールに熟知する必要がある。知は自由なり。

連結・連接〔articulated〕：次々とつながっていくこと。たとえば、〈関節で連結された骨格（an articulated skeleton)〉や〈連接バス（an articulated bus)〉など。

論評〔critique/critiquing〕：ワークショップや合評会で、執筆作品について話し合うプロセスのこと。特にこの語は、〈批評〉の代わりに用いる。批評や批判といった言葉だと、おそらく否定的な意見や非難が多くなるため。論評には、中立のひびきがある。

訳者解説

船　そのもの
船　自分
ひとりが
乗組員　自分も
まだ知らない自分の人生(1)

アーシュラ・K・ル＝グウィン最後の詩集『ここまで上々』（*So Far So Good: Final Poems: 2014-2018*, Copper Canyon Press, 2018）に収められたゆるやかな物語性を持つ連詩「ここに至るまで」（"So Far"）もまた、航海をテーマにした作品であった。ここに掲げたのはその「十、船そのもの」だが、船と人生が重ね合わされ、詩集のタイトルとも相まって、ル＝グウィン自身の人生をも感じさせるものとなっている。日本では『ゲド戦記』として知られる〈アースシー〉の物語をご愛読のみなさまなら、航海のシーンがその旅の随所で用いられ、深い趣を添えていることはご存じのことだろう。実際の海、あるいは宇宙の航海は、ル＝グウィンにとって大事なモチーフのひとつである。

本書『文体の舵をとれ　ル＝グウィンの小説教室』は、*Steering the Craft: A Twenty-First-Century Guide to Sailing the Sea of Story*, Mariner Books, 2015 の全訳であり、このル＝グウィンが行っていた執筆ワークショップをまとめた本のタイトルにもまた、航海の含意が込められている。原題にある「Craft」には船と執筆技巧の両方の意味がかけられていて、何よりも物語という海を航海するために、その技巧という船の舵をとるのだと、強い意気が感じられる題になっている。邦題では動名詞句からにじみ出る躍動感を表現するために、「とれ」という形にした。

文章の名手との声も高いル＝グウィンであるが、言語や翻訳の壁もあってか、その文の見事さや、各作品における文体の巧みな使い分けや書き分けには、本邦ではあまり注目されてこなかった。とりわけ活動中期から晩年にかけての中短篇群は、鋭敏な文体意識に貫かれた語り手の声の競演とも言うべきもので、本書訳者も関わった邦訳短篇集『現想と幻実』（青土社、二〇二〇）ではその素晴らしい書きぶりの一端が現れている（し、翻訳でもできるだけその点が伝えられるよう試みた）。もちろん、文体における声やリズムについてこだわりがあることは、ル＝グウィンの各種エッセイの節々から感じられることではある。しかし本書はそうして少しずつ語られてきたことが一冊に集大成された上で、それでいて執筆の指南書として役に立つよう繊細に配慮された貴重な一書となっている。こうして邦訳がお届けできたことは、一読者としても欣快（きんかい）の至りである。

本書の初版が刊行されたのは一九九八年で、ル＝グウィンの地元であるオレゴン州ポートランドの出版社から、『文体の舵をとれ　孤高の航海者と立ち上がる乗組員たちのための物語執筆をめぐる練習問題・解説集』（*Steering the Craft: Exercises and Discussions on Story Writing for the Lone Mariner and the Mutinous Crew*, The Eighth Mountain Press）として発表された。そこから二十年弱の時を経て改訂されたのが本書底本であるが、興味深いことに単純な増補と思いきや、本文ページ数はむしろ一七二から一四一へと減少している。ここには作品をつづめながら書き直していくル＝グウィンの方法論が反映されている一方で、中身はけっして目減りしておらず、かえって豊かになっていると言えよう。初版の射程がともすれば英語小説や英語での執筆に限られがちであった点に比して、この改訂版では（本文中でも触れられているように）初版にあった文法の詰め込み講座をばっさりと割愛し、さらに初版のまえがきで募集していた読者からの意見をふんだんに取り入れて、より実地的かつさらに普遍的な内容へと深化を遂げている。本書底本がいち早く訳出されたのが大きく言語の異なるはずの繁體中文であり、『奇幻大師勒瑰恩教你寫小說：關於小說寫作的十件事』（木馬文化）として二〇一六年に刊行されていることは、その証左のひとつでもあるだろう。

本書は、物語の作り方や発想法を教える本というよりも、本邦のいわゆる文章読本に近い。日本では谷崎潤一郎をはじめ、川端康成や井上ひさし、丸谷才一らが、古今の文章を引用しながらその文の書き方を解いているように、ル＝グウィンもまた、実例としてさまざまな文芸作品を引きながら文体の妙味を解説している。著者自身の「はじめに」にもある通り、文のひびきや視点人物、語り手の人称など、文体の制御に関する要点を（中級者のつまずきやすい）物語るという行為の基本要素として焦点に入れつつ、キプリング、トウェイン、オースティン、ストウ、ウルフ、ディケンズ、トールキン、ハーディ、ブロンテなど英米文学の錚々たる作家たちを例にその技巧を説明してみせる。そして比較文学の観点でも面白いのは、こうした抜粋からわかるル＝グウィンの文芸趣味がかの夏目漱石『文学論』とも重なり合うことで、（多少の意図は異なれど）引用箇所が重なるところさえある。また漱石の文学論がその実、小説の描写となる文体の読み解きでもあったのと同様に、各種名文を読み解いていくル＝グウィンの記述からはその文学観もうかがえる。そしてこうした名作の抜粋と解説は海外文芸を読むにあたっても有益であり、一般の読者のみならず、海外文芸を訳そうという人たちにも、本書は文芸の文体を読み進めるためのガイドブックとして役立ってくれよう。

§

死後刊行となったインタヴュー本『執筆をめぐる談話集』（*Conversations on Writing*, Tin House Books, 2018）は、もとはポートランドの文芸誌『トタンの家』とコミュニティラジオ局ＫＢＯＯが共同配信しているポッドキャスト＝ラジオ番組「ビトゥイーン・ザ・カヴァーズ」で収録されたものだが（一部は同じく地元の文芸誌『ポートランド・レヴュー』（二〇一七年春、六三号）にも書き起こし掲載されている）、その第一部ではまさしく本書『文体の舵をとれ』を踏まえた上で、ホストを務めるデイヴィッド・ネイモンとゲストのル＝グウィンが各話題を論じ合っている。ここでは声・リズム・文法・焦点・視点人物など、本書の要点を語り直すものだけでなく、練習問題の好みや評判などもふんだんに語られている（なお原音声は公式サイト"Tin House: Between the Covers"から聴取可能）。

さてその冒頭で、ル＝グウィンは〈声を聴く〉ことについてあらためて述べている。

わたしは、自分の書くものが聞こえるのです。本当に若かったころは、詩の執筆から始めたものです。かつてはいつもそれが、自分の頭のなかに聞こえました。執筆のことについて書く人でも、どうやらそれが聞こえておらず、耳を澄ませもしていない人が多いということは、わかっています。その人たちの知覚では、理論や理屈がもっと優先されているのです。でも、自分の体のうちにそういうことが起こっているのなら、自分の書くものが聞こえているのなら、正しいリズムにも耳を澄ますことができるはずで、その助けを借りれば、文章もはっきりと流れていくことでしょう。それに、若い書き手がいつも話していることですが――〈自分の声を見つけること〉――そう、それに耳を澄ませもしないで、自分自身の声が見つかるわけありません。自分の文章のひびきは、その行為の核になるものです。(2)

そしてそのあと、この言葉に呼応するものとして聞き役のネイモンは、ル＝グウィンの講演記録「わたしがいちばんよくきかれる質問」の一節を引き合いに出す。この二〇〇〇年になされた講演の原稿中には、辛抱強く登場人物の声に耳を澄ませる努力を、『星の王子さま（あのときの王子くん）』のキツネのシーンに喩えて説明する印象的なくだりがあるが、こうした声と文体への意識は、その原稿が収録されたエッセイ集『ファンタジーと言葉』（青木由紀子訳、岩波書店）の全体とひびき合うものである。その原題ともなった"Wave in the Mind"（心のなかの波）は、本書でも引用されるヴァージニア・ウルフの手紙を典拠とした語句で、本書初版とほぼ同じころに書かれた各エッセイを副読本として読むことで、本書の内容がよりよくわかるようにもなっている。

ただし残念なことに、日本語版では本書成立の背景を語るエッセイ「群れ（プライズ）――執筆ワークショップ論」（"Prides: An Essay on Writing Workshops"）が割愛されてしまっている。一九八九年に書かれたその小品は、当時すでに数多くの執筆講座をこなしていたル＝グウィンが、そのあり方に疑問を呈しながら、新しい方法論を模索するものだった。本書をお読みになった方のなかには、〈合評会〉に多くの紙幅が割かれ、その実践が前提になっている点を疑問に思う向きもあろう。しかしそれは、ル＝グウィンの経験をもとに慎重に採用された仕組みなのである。

その「群れ」ではまず、執筆講座の長短が語られる。とりわけル＝グウィンを悩ませたのは、そうした講座が有名な作家とその弟子になりたがる人々の自己承認欲求（エゴ・トリップ）に蝕まれやすい点であり、ともすれば愛他主義に満ちた自己啓発セミナーにもなりかねない点だった。さらには売れる作品の作り方や、名士に仲間入りする方法を教えるビジネス講座を主宰するのは、ご免被りたいものであったらしい。質以前にマーケティングやコネを重視してしまう講座はアートを貶めるものであって、そうしたサロンに共依存する人たちや、ワークショップ中毒を生むばかりである、と。

また、尊敬する作家に手ひどく自作を貶されて執筆そのものをやめてしまう人たちを数々見てきたル゠グウィンは、お互い敬意と自信を持ち、なおかつ文章技巧とプロ意識を共有するというワークショップのあり方に関心を強めていくことになる。だからこその〈合評会〉なのだ。役立つ体験型の講習会を目指して、練習は訓練でありながらもまた技芸（アート）の行為であると位置づけ、グループで取り組むことで上下関係をなくした一体感と、核となるエネルギーをはぐくむ——そして参加者お互いの責任は何よりも、〈書くこと〉と〈評すること〉〈を学ぶこと〉だとする。ここにはもちろん、ル゠グウィン自身も書く人として参加し、評されることを厭わない姿勢がある。短篇集『現想と幻実』に収めた連作「四時半」が、執筆講座で出した課題に自ら取り組んだものであるのも、こうした経緯を考えれば納得できよう。

こうした〈合評会〉という貴重な経験を経た書き手たちは、そのあと何ヶ月も何年も小さな合評会を自分たちで続けていくことがあるという。ル゠グウィンはそのエッセイの末尾で、「〈書き手〉は、言葉という砂の沙漠にひとりきりで、自分がちっぽけな人間であると感じがちだ」と言う(3)。そしてワークショップについて、こう結論づける。

おそらく、いいワークショップとは、水飲み場にいるライオンの群れ（プライド）のようなものなのだ。みんなで一晩じゅうシマウマを狩って、そのあとみんなして大きく猛りながらそのシマウマを食べ、揃って水飲み場に向かい、一緒にのどを潤す。それから日中の暑いときには、ともに寝転びながら、うなったり、ハエを叩いたり、優しげな顔を向けたりする。そしてたった一週間であっても、ライオンの群れに所属したことが、何ものかになるのである。(3)

むろん、この〈群れ（プライド）〉には〈自尊心〉のニュアンスもひびいてくる。

§

この本書改訂版の刊行前後には、サイト〈ブック・ヴュー・カフェ〉にて、「物語という大海をわたる」（"Navigating the Ocean of Story"）と題したオンラインワークショップが開かれた。その趣意文でル゠グウィンは、詩を書く体力が戻ってきたと述べるとともに、（さすがに長篇は書けないけれども）創作が恋しくなってきたとして、〈ある実験〉を行うことにしたと告げる。すなわち、執筆に関してオンラインで広く質問を受け付け、それに答えると。

その結果、（おおかたの予想通りではあるが）大量の質問が集まり、質問者の文とル゠グウィンの回答を合わせると、ゆうに二万七〇〇〇ワードを超える一大セッションとなった。さながら質問百人組手の様相で、訊ねる側も初心者のみならず、デビューしたての作家や、かなりのプロとおぼしき執筆講師経験者まで現れるなど、かなりの活況を呈した。もちろん問いと答え自体は、本書と重複するものも少なくないが、その暖かくも率直なル＝グウィンの語り口が楽しめるものとして、（権利の都合さえつけば）本書にも付録として収録したいくらいだった。

そこでル＝グウィンから質問者にもたらされた助言にはいろいろあるが、たとえば、静的な〈見せる〉と動的な〈語る〉は異なること、執筆の良し悪しを二項対立で考えないこと、実在宗教をモチーフとして安易に利用しないことなどは、一般的な意見としても参考になる。また本書で触れられたトピックを別の語で言い換えることもあり、短文ばかりの文章を〈マッチョ・スタッカート〉、本文中で〈説明のダマ〉と称されたものが唐突な〈差し込み解説コラム〉とも言われると、本書とは違ったくだけた言葉遣いが理解の支えともなる。

一方で質問者たちも本書に則って船の比喩で訊くことがあり、それもまた愉快味を添えている。短篇から長篇へとどう書き換えればいいのかと悩む質問者が「この小舟をクルーズ船に変えるにはどうすればいいでしょうか？」と訊ねると、ル＝グウィンは「クルーズ船のことなんて忘れなさい。むしろ、自分がどこに行こうとしていて、どうやってたどり着くつもりなのかを、気にするのです——あとたぶん、そうしたい理由についても」と返答する[4]。

一連の質問のなかでも、とりわけこの〈行き先〉と〈行き方〉という考え方は特徴的に繰り返され、別の箇所では「物語の行き先と行き方をはっきりと知るために、短篇から始めるのは、おそらくいいアイデアでしょう。長篇の場合、書き始める前に、その行き先と予定している行き方がわかっていると意識しておくのが、いちばんいいことだろうと、まず言いたいのです」とも述べている(5)。こうした手法は、ル＝グウィンが〈アースシー〉の物語を本格的に書くよりも前に「解放の呪文」「名前の掟」の二作を書いていることや、『ロカノンの世界』に先立つ「セムリの首飾り」、『闇の左手』を準備する「冬の王」、もっと後年の作品であれば『アースシーの風』の序章となる「ドラゴンフライ」、『ラウィーニア』の主人公の声を探る書簡体小説「前七六六年四月一日」（"The Kalends of June, 766 BCE", 2008）などの存在を思い出させる――「完全な物語ではなく、まずごく短いもの、一段落、一ページなどを書いてみましょう。あるシーンだけを描いてみたり、ある人物を何らかの状況に置いたりして、その行為や感覚を語るのです。すると長篇があとから現れます」(5)

おそらくこうした活発なやりとりにも影響されて、ル＝グウィンは執筆意欲を取り戻し、死後発表されることになる短篇「哀と恥」（"Pity and Shame", 2018）や、ライブラリー・オヴ・アメリカ版『オールウェイズ・カミングホーム』の増補部分（*Always Coming Home: Author's Expanded Edition*, LOA, 2019）、〈アースシー・サイクル〉の見事なエピローグ「火あかり」（"Firelight", 2018）へと向かうことになったのだろう。

本書を読んだあとで訊きたくなるようなことについても、こうした一連の質問や前出のインタヴューで答えているのだが、ひとつご紹介すると、本書でワークショップ参加者がいちばん嫌がる練習問題は、最後の⑩「むごい仕打ちでもやらねばならぬ」であるという。なるほど自作の文章を削るのは、自分の身が削がれるようでつらい。とはいえそれでも「やらねばならぬ」。そのほか、第二章の末尾に置かれた英語構文のクイズについて気になる方もいらっしゃるだろう。これについて出題者当人の言及はないが、実はよく似た問いがあるのでそちらを参考にすると、おそらく正解は“All that is is; all that is not is not; that that is is not that that is not; that is all.”――すなわち、「存在するすべてのものは、ある。存在しないすべてのものは、ない。それがあるということは、それがないということではない。それがすべて」となる。日本語でも「すもももももももものうち」を適切に区切るという問題があり、翻訳でも別の問いをこしらえて入れてみようかとも思ったが、さすがに断念した。

§

こうした英語特有のもの数ヶ所以外は、できるだけ日本語で読んでもわかるように、通じるように訳出し、必要なところには（やや煩わしいかもしれないが）理解の助けとして訳注を挟んだ。とりわけ英語と日本語との差や、比較文芸の視座から要点となってくる事項については、少々長めの解説を施したところもある。近代小説における視点や描写の問題は、それこそ前述した夏目漱石『文学論』が〈小説〉の本邦輸入に際して丁寧に論じてくれているわけであるが、そうした観点はあえて顧みるとなると厄介で、敬遠されがちだ。

それは日本語で物語を執筆するときのみならず、日本語に海外文芸を訳出するときにも、時として意識されなかったりすることがある。第八章では三人称限定視点の例文として、デラという女性が視点人物なら、「デラは、その信じられないほど美しいすみれ色の瞳を、愛するロドニーの顔へと向けた」とは書けず、「彼女は、自分のすみれ色の珠が相手に与える効果をわかった上で、上目づかいをした」と書くしかないと記されているが、翻訳では後者の原文が前者のような訳文に化けることもある。そうしたとき、訳者のうっかりであれ意訳であれ、原文のPOVからは逸脱するわけだ。ほかにも、遠隔型の作者を潜入型の作者のように訳出したり、その逆もやはりあるだろう。その場合は登場人物と原作者の距離感を翻訳で踏み外してしまっているのだが、わたし自身も小説を訳すときにそうした見誤りをしている可能性がある。ル＝グウィンの文体意識は、ただ小説を書くときのみならず、その先にある翻訳をも射程に捉えて、容赦なく問題を突きつけてくるのだ。

　日本では〈西の善き魔女〉というあだ名がよく知られているル＝グウィンだが、ここには当人がアメリカ西海岸のオレゴン州ポートランドに住んでいるという含意もある。そしてこの言葉からわれわれ読者は〈西のはての年代記〉をも連想するわけだが、解説冒頭で紹介した最後の詩集『ここまで上々』の掉尾（ちょうび）を飾るのは、まさにその語を用いた「西のはての岸にて」（"On the Western Shore"）であり、その第一連でル＝グウィンは、海を越えてさらに西にある日本の〈本州〉を意識している。

引き潮が　長い浜辺を

ひとり　駆け巡っていると
忘れられたもの　不明なものの
投げ荷を　見つける
細長い胸骨
ホンシュー沖の船から　紛失された
ガラス製の　浮き玉
大洋を　越えてきた
百年も　壊れずに(6)

§

実はわが実家には本物の舵がある。伝え聞くところによれば、それはかつて琵琶湖に浮かんでいた汽船〈京阪丸〉の舵であるという。祖父が戦後に独立して開いた衣料品店のなかに飾られていたものだが、後年その店をたたむにあたってゆずり受け、今でも実家の訳者の部屋にはその舵が置かれてある。祖父は店じまいの数年後に亡くなったが、彼がまだ若かったころ、その舵に自分の店の門出の思いを託したであろうことは、想像に難くない。わたしもその舵を見つめながら何度も、自分の行く先をさまざまに考えたものだ。

ル＝グウィンは、航海のモチーフが好きであることから、人から見事な帆走経験を期待されるそうだが、実際には高校時代に授業でやったことがある程度で、しかもそのときには浅瀬でヨットを転覆させたという。わたしも小学生時代に湖上実習でカヌーをやったことはあるが、あまりいい思い出もないままに舵にばかり思い入れがあるので、ひそかな親近感を覚えている。航海に憧れるのは、旅を夢見る人の習性なのだろうか。

§

なお練習問題の文字数については、翻訳仕事の慣例に倣って、原著で示されたワード数を二倍して日本語の文字数とした。本文中のページ概念については、おそらく洋書のページ割りが意識されており、日本語の本であれば書籍の見開きの左右でその一ページ分と考えるといいだろう。ただし、ワードや一太郎などのソフトウェアを使う人であれば、初期設定のA4用紙四〇×三六や四〇×三〇などをそのまま一ページ分として使ってもらっても（ちょっと多めかもしれないが）支障はなかろうと思われる。

本書の訳出は長く温めていたものだったが、企画の際にはフィルムアート社の宮迫憲彦氏にたいへんお世話になった。また同社の沼倉康介氏には、丁寧な原稿整理と編集業務をしていただいて感謝に堪えない。さらに要所でサポートしてくださった同社の田中竜輔氏と、繊細なブックデザインを担当なされた餅屋デザインの折田烈氏、そしてすてきな装画を提供してくださったイラストレーターのモノ・ホーミー氏にも心から謝意を表したい。

こうして送り届けられた訳書が、さまざまな創作や翻訳の役に立てるよう願っている。

二〇二一年六月

訳者識

参考文献

(1) Ursula K. Le Guin, *So Far So Good: Final Poems: 2014–2018*, Copper Canyon Press, 2018, p.67.

(2) Ursula K. Le Guin with David Naimon, *Conversations on Writing*, Tin House Books, 2018, pp.16–17.

(3) Ursula K. Le Guin, *The Wave in the Mind: Talks and Essays on the Writer, the Reader, and the Imagination*, Shambhala, 2004, p.258.

(4) Navigating the Ocean of Story: Session 1, Continued: https://bookviewcafe.com/blog/2015/08/24/navigating-the-ocean-of-story-session-1-continued/

(5) Navigating the Ocean of Story – Session 1: https://bookviewcafe.com/blog/2015/08/10/navigating-session-1/

(6) Ursula K. Le Guin, *So Far So Good: Final Poems: 2014–2018*, Copper Canyon Press, 2018, p.86.

◉著者

アーシュラ・K・ル＝グウィン（Ursula Kroeber Le Guin）

1929年カリフォルニア州バークレーに生まれる。1962年に作家としてデビューし、以後斬新なSF／ファンタジー作品を次々に発表する。他ジャンルの小説や、児童書、詩、評論などの分野でも活躍。主な作品に、『闇の左手』、『所有せざる人々』（以上、早川書房）、「ゲド戦記」シリーズ（岩波書店）、「空飛び猫」シリーズ（講談社）、「西のはての年代記」三部作（河出書房新社）など。ネビュラ賞、ヒューゴー賞、ローカス賞を何度も受賞しているほか、ボストングローブ＝ホーンブック賞、全米図書賞、マーガレット・A・エドワーズ賞など数々の賞に輝く。2018年没。

公式ウェブサイト：www.ursulakleguin.com

◉訳者

大久保ゆう（おおくぼ・ゆう）

フリーランス翻訳家。幻想・怪奇・探偵ジャンルのオーディオブックや書籍のほか、絵画技法書や映画・アートなど文化史関連書の翻訳も手がけ、芸術総合誌『ユリイカ』（青土社）にも幻想文芸関連の寄稿がある。2020年には『現想と幻実：ル＝グウィン短篇選集』（青土社）を共訳で刊行。そのほか既刊訳書に、ラリー・ブルックス『物語を書く人のための推敲入門』（フィルムアート社）、テリル・ウィットラッチ『幻獣と動物を描く』三部作（マール社）、3dtotal Publishing編『コツをつかめ！ クリーチャーデザイン教本』（グラフィック社）、イーサン・ホーク『騎士の掟』、『H・P・ラヴクラフト 朗読集1〜3』（パンローリング）などがある。

文体の舵をとれ
ル=グウィンの小説教室

2021年7月30日　初版発行
2024年8月10日　第五刷

著　者　　アーシュラ・K・ル=グウィン
訳　者　　大久保ゆう
装　丁　　折田烈（餅屋デザイン）
装　画　　モノ・ホーミー
編　集　　沼倉康介（フィルムアート社）
発行者　　上原哲郎
発行所　　株式会社フィルムアート社
〒150-0022
東京都渋谷区恵比寿南1丁目20番6号 第21荒井ビル
TEL 03-5725-2001
FAX 03-5725-2626
http://www.filmart.co.jp

印刷・製本　シナノ印刷株式会社

ISBN978-4-8459-2033-4　C0098